Contents

Thanks to Betsy Langford, the best Learning Support tutor at Sussex University, Brenda Giddey for giving me the idea to write this guide, my partner Rob for all his continual support and my hairdresser for sorting out my hair when I had pulled most of it out!!!

Foreword

Stuck in dead end jobs, I knew I had to make a change to my life, so decided to return to 'school' and 'get an education'. However when I started out on my degree I did so as a mature, dyslexic student, who had not picked up a pen or read a book in years; many years.

I did not know how to grasp academic texts (it was all just boring gobbledegook) and I did not have a clue how to structure an essay and as for exams, well the last ones I took were my GCSE about 20 years ago; failing nearly all of them and getting in such a panic I ended up on beta-blockers!

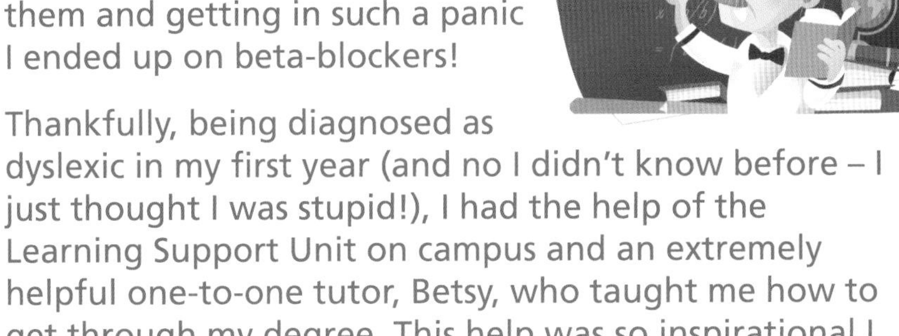

Thankfully, being diagnosed as dyslexic in my first year (and no I didn't know before – I just thought I was stupid!), I had the help of the Learning Support Unit on campus and an extremely helpful one-to-one tutor, Betsy, who taught me how to get through my degree. This help was so inspirational I wanted to pass it on to everyone, and hence the reason for writing this book.

In fact now I have finished my degree I would love to just continue learning forever, although finance will not permit it.

You may think you already know how to write an essay and seem to be doing fine by scribbling away in an exam, but from the comments made in class, and the conversations that I have overheard, I think some students could do with a little assistance.

Introduction

Organisation

Good organisation is an absolute must. If you can manage to get yourself organised and work ahead of the game, you ought to have no problem in dealing with the work load.

Course Outlines are provided for each of the sections you will undertake and these are broken down into the topics you will be studying. Make sure you obtain a copy of your **Course Outlines** well in advance, as these are the key to being well organised for the term.

Some tutors are better than others in providing clearly set out notes and precise required reading lists; however if you desire further information or are having trouble obtaining anything at all **DON'T BE AFRAID TO ASK**. You may have to pester and push quite a bit to obtain what you want, when you want it, but don't be afraid to do so. I can't emphasize enough how important planning, organisation and good **Course Outlines** are to your success.

Remember you are paying for this education and having a good foundation is paramount to the success in your course.

- ✓ Get organised
- ✓ Obtain reading lists and course outlines well in advance
- ✓ Don't be afraid to ask for what you want

Planning

Once you have the relevant **Course Outlines** read through them to familiarise yourself with the topics you will be covering. In particular find out what course work is required and when this will be due. Course aims and objectives, learning outcomes AND marking criteria are all very useful in telling you what your tutor wants/expects you to write about – READ THEM CAREFULLY!!

Use a diary to note the number of the academic week, timetable details, other activities, work (if applicable), as well as dates for the submission of course work. Collate this information as much in advance as possible for a clear indication of where you are going and the time you have.

Remember to take some 'time out' too!!

Knowing what course work you are required to submit, will also help you plan what you need to do:

For an examination you will require good global notes for revision.

For an essay you will require more in-depth notes and reading on one or more of the topics covered.

- ✓ Familiarise yourself with Course Outlines
- ✓ Find out what course work is required
- ✓ Keep a diary to help structure your time

Required and Further Reading

Once you know what is required of you to succeed on the course, the next thing to do is look at the reading lists provided.

Sometimes a **Course Reader** is available which contains all required reading already copied for you.

These may seem a little expensive, but are actually worth their weight in gold as you can not only keep them for future reference, but also make your own notes on the text unlike a library book.

If a **Course Reader** is not available, a wise course of action is to use the library catalogue to locate all the required reading. This may seem laborious but sometimes tutors will choose a book where only one copy is available, In which case you will need to be aware of this fact to ensure you have access to this copy in advance of the masses.

- ✓ Buy a Course Reader if available
- ✓ Locate other books in the library catalogue

Plan Ahead

At least one week before your course is due to start find out:

- What subjects are going to be covered and when
- What course work is required and when it will be due
- What reading will be required during the course and where to find it
- What other resources are available to you and how to obtain them

Create your own Dictionary

During your time at university there will be many different words, phrases, concepts and even people you may not have come across before.

As an aide-memoire, consider making your own dictionary to provide a quick way of looking up just the points you are experiencing problems with.

Heretic / Heresy

Heresy

1. Belief or opinion contrary to orthodox religious (especially Christian) doctrine.
2. Opinion profoundly at odds with what is generally accepted.

Plural: Heresies

Origin: from Greek 'hairesis' = choice

Heretics: A person believing in or practising heresy

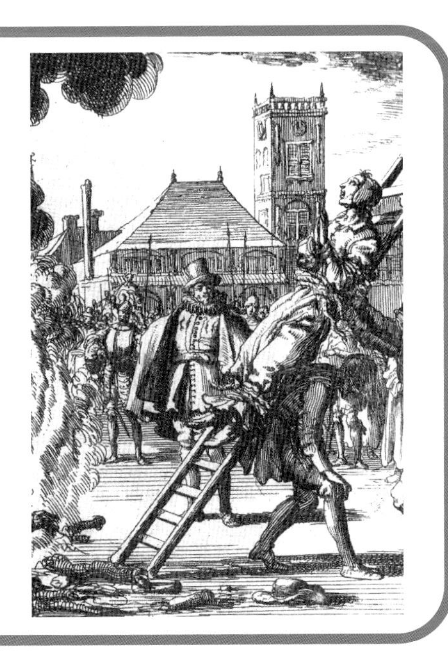

This could take the form of an indexed notebook, index cards, or even a cheap organiser.

If you are able to obtain an A5 organiser, A5 paper and have a computer and printer, then you can add diagrams, pictures and colour to entries in your dictionary to make points clear and help *you* remember.

Re-cap

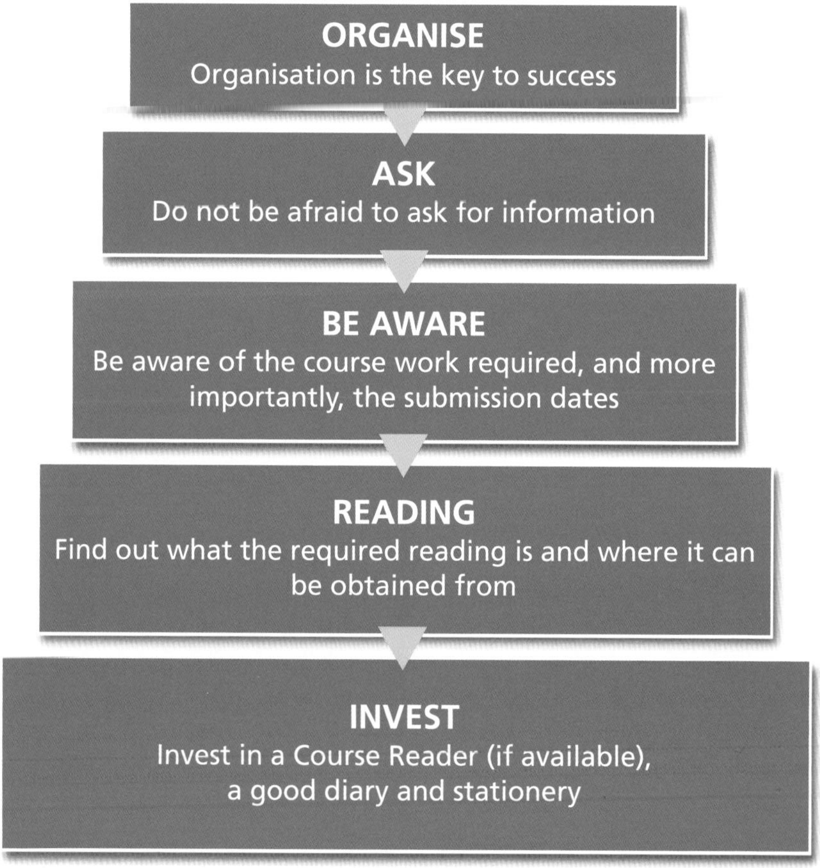

ORGANISE
Organisation is the key to success

ASK
Do not be afraid to ask for information

BE AWARE
Be aware of the course work required, and more importantly, the submission dates

READING
Find out what the required reading is and where it can be obtained from

INVEST
Invest in a Course Reader (if available), a good diary and stationery

Reading and Writing: A piece of cake!

Reading

This method was taught to me by my Learning Support tutor and it has been the best piece of advice I have received throughout my University education; I just wish I had known this years ago!

A non-fiction book is made up of three elements: a beginning (introduction), middle (body) and end (conclusion), and if well written these elements can be found in each chapter and even each paragraph.

An **Introduction includes four elements**:

- **What it is about,** probably by using the words in the title;
- **Definitions of any words** in the title that require explanation or clarification;
- **Context** to provide a background or history of what the text is about;
- **Signposting,** stating the direction and content of the text (linking each part)

The body includes the argument or discussion of the text that is signposted in the introduction.

Finally the **conclusion summarises all the points** made in the body of the text and even provides an opinion, if required.

Therefore if you read the first and last chapter of a book, the first and last paragraph of a chapter, or even the first and last sentence of a paragraph, you gain a good understanding as to its content and whether you need to read more of the arguments or discussions arrived at in the conclusion.

Make Notes from Texts

Taking notes from a piece of text then becomes easier and can be made into a spider diagram. You put the title in the centre with lead offs for the number of paragraphs and then just make a note of the basic points made in each. Finally you can condense the notes into one short paragraph, summing up the whole piece and providing you with an easy aide-memoire for the future.

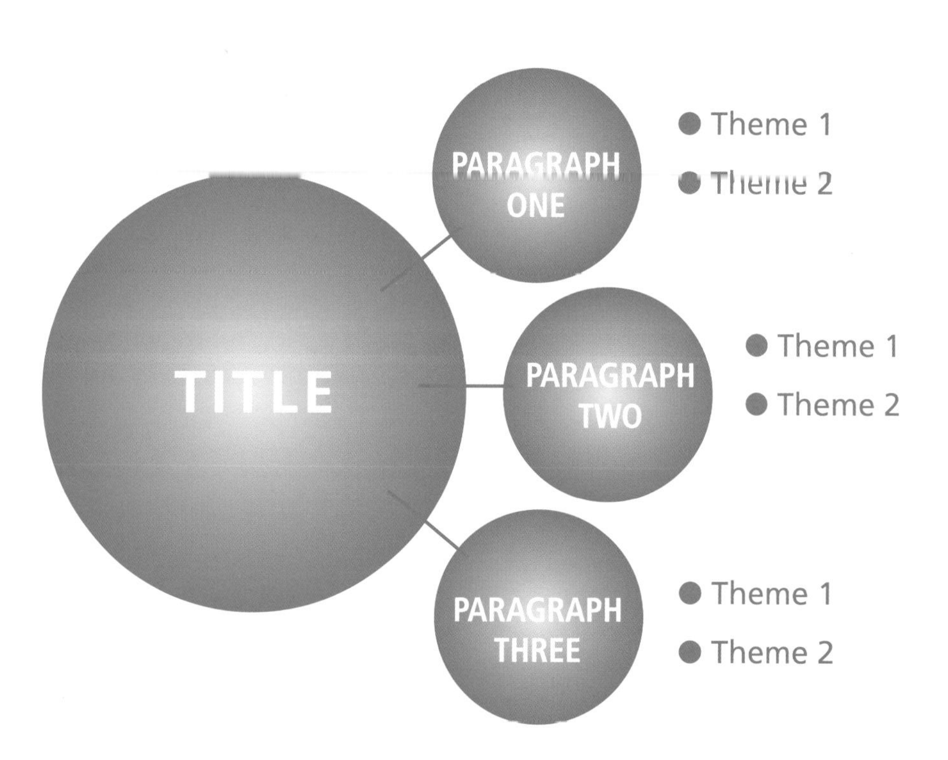

A Piece of Cake

For simplicity you can look at each piece of text like a cake:

- The title of the text is the name of the cake
- Each of the paragraphs are the ingredients
- Each sentence then offers more information and evaluation of each ingredient.

For example:

Sponge Cake

To make a cake you will need the ingredients of flour, an egg, butter and sugar, which you mix together.

The first ingredient you will need is flour. Flour is a white power made from grain and is the main ingredient for a cake (REF).

For your cake you will also need an egg. Eggs are normally oval in shape with a hard shell. Inside there is a clear liquid and a yellow semi-solid centre. The egg is important because it is used to bind the other ingredients together.

You will also need to consider what size of egg you use, as this can change the consistency of the mixture. Consistency is an important factor in creating a good cake – if you get it wrong, a stodgy and somewhat unpleasant tasting cake can result (REF).

You will also need sugar. Sugar comes in different colours, tastes and texture, which... etc, etc.

Obviously this is a very basic example, but hopefully it shows the formula that can be used.

Don't forget to reference your work

Use the same elements when you *write*

This is explored in more depth in the next section on Planning and Writing an Essay.

Planning and Writing an Essay

Word Count Guide

Apart from answering the question, the most crucial part of writing an essay is to stay within the word limit. It is essential that your essay is well balanced and that you don't spend most of the word limit on just one element. There is a simple way to ensure this:

The introduction and conclusion account for around 25% of your essay. So if you are writing a 2,000 word essay you would need about 500 words to introduce what you are going to say and to summarise and conclude what you have said. Usually the introduction will be slightly longer than the conclusion, but try to keep them roughly balanced.

This then leaves you with 75%, or 1,500 words for the main content of your essay, which can be divided between the points you wish to make. Depending on your subject, three main points may provide an equal balance to an argument/discussion, so therefore you have 25%, or 500 words, for each, though one section may well be longer than

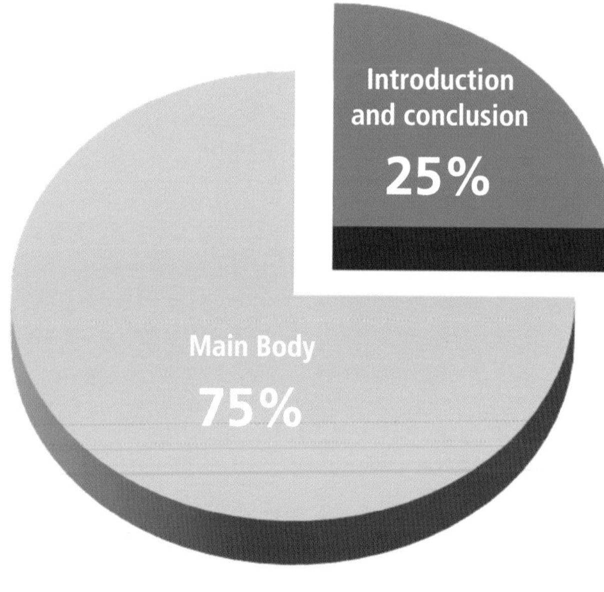

another depending on the content and complexity of the subject.

Types of Essay Questions

You need to decide whether the question requires your **opinion (O)** or whether it is just asking you for an explanation of **facts (F)**. If you are not sure look at your pen and think about the question in relation to it.

For example:

- What does the pen do? Well it writes, so that's a fact (F).
- Describe the significance of your pen. Fact again - as you are describing the aspects that make the pen significant (F).
- Discuss the concept of a pen. The question here asks for your opinion, it wants you to discuss (or debate) the pen (O).

Be careful! Sometimes questions are in two parts requiring BOTH these elements.

Whether the answer is fact or opinion will determine the conclusion. For fact based questions you will need to provide a summary and for opinion questions you will need to provide YOUR opinion based on the evidence given.

If the question does not ask for your opinion, don't give it!

Planning

The formula for reading is the same for writing. So let's just recap the basic elements:

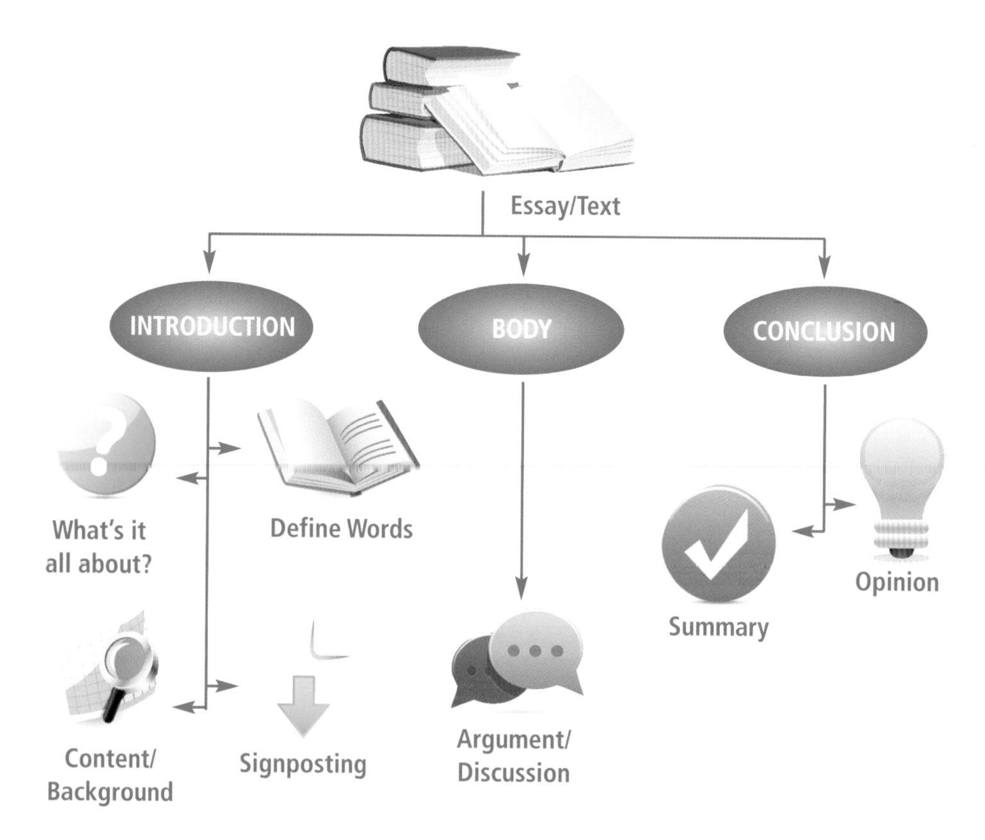

Sometimes you are provided with questions to choose from for your essay, in which case you need to look at them carefully to decide which one to answer. Use the **Planning** guide in the Examination section to help. Your first objective is to **have a CLEAR idea what you want to write about**. This can be obtained by going back through your Course Outline and thinking about which topics you engaged with. Some

Course Outlines also contain essay questions or topics for discussion, and these are invaluable at this time.

1. Once you have decided on a topic, you need to **think of a question**.

   * What parts of the topic made you think?

   * How do other subjects you have learnt about apply? REMEMBER!! Demonstrating other knowledge in your essay gives a better grade, but equally you need to stick to the point and answer the question set. Even if you do not have a precise question, make a working title with key words that you can define later, but REMEMBER the title reflects and decides the WHOLE essay – don't change it or decide on the title later – you might lose your way!!

2. **Do some initial research** to remind you of your chosen subject area. Look through your notes from the lectures and seminars on this topic together with the core reading. **Try not to get too 'bogged down' here – you are trying to get an overview**; however to obtain a good grade you will need to consider the further reading list and what is available in the library. Remember though, you are writing a limited undergraduate essay and NOT a research paper.

3. Once you have your notes, it is time to **plan your essay** and **the conclusion is a good place to start**. After all what you are doing is answering a question and the conclusion provides a summary of all the places you are going to in order to do this. At this stage your

conclusion is just an indication of where you want to end up.

Think of your essay like a road map:

- **Where do you want to get to?**
- **How are you going to get there?**
- **Where will you need to go?**
- **If you take a detour does It change your 'route' (order of paragraphs)?**
- **If you do change it, will you end up in a different place?**

4. The **body of your essay** includes the **main points** needed to answer your question. Turning your question around into a statement or answer provides a quick way to list the points to cover.

5. **Expand and revisit your research** focusing on your main points. Be focused in your research and DON'T go off at tangents. Use the contents and index pages to find relevant passages. The key is to be quick and precise in your research, only looking at what is relevant to you and not what is interesting in general.

6. **Expand on the main points.** Spider diagrams are always useful and a simple way of fitting research into the frame of your essay. By writing one of the main points in the centre of a page and then going through your research notes you will have the body of your essay planned out in no time.

7. Next **plan out your introduction** and remember to include the following four points:

- **What it is about**, probably by using the words in the title
- **Definitions** of any words in the title that require explanation or clarification
- **Context** to provide a background or history of what the text is about
- **Signpost** the direction of your essay

8. Now you have a draft conclusion, an expansive plan for your main points and an introduction. What you have to do now is **collate these elements to form a draft essay**.
9. Once your draft essay is completed **read it through carefully,** by reading out loud, paying attention to full stops and commas. Don't go too fast – rather aim for a slow but smooth reading style that allows you to 'chunk' words together as you go. If the words are not flowing the sentence/section may need to be altered. Use software such as TEXTHELP or other speech programs. Use friends!!
10. The final stage to **completing your essay** is to read through it several times to ensure that all elements flow from one another and that you have answered the question. Be aware of links and signposts that help the reader keep *track* of your argument. Don't be afraid to change elements, even whole paragraphs. After all, if the wording doesn't make sense to you and you do not answer the question, the marker will not be able to understand either and you will lose marks.

Re-cap:

1. Choose a topic
2. Think of a question
3. Initial Research
4. Draft the conclusion (answer the question)
5. Decide on the main points
6. Extend Research
7. Expand the main points using spider diagrams
8. Plan the introduction (remember the 4 points to include)
9. Collate all elements into a draft essay
10. Read through and finalise

Writing an Analysis of a Primary Source

When dealing with sources Situate, Analyse **and** Evaluate **(remember as SAE;** a clever way is to picture a **'S**elf **A**ddressed **E**nvelope' containing a note of the things you need to think about).

The following are guidelines; of course not all questions are equally appropriate for every type of source, but they give a good outline of the ways in which you should approach a source.

Situate

- When, where, why was the source written, how does it speak of its context?
- Is it a challenge/defence of the status quo?
- Why was it written and for whom?
- How was the source presented to its public at the time?
- What were the economics of its production? Who paid for it to be produced – does this impact on its content, dissemination (circulation/distribution) or significance?

Analyse

- Carry out a detailed reading of the source's content
- Briefly summarise its meaning and how it fits into wider debates/contested approaches
- Identify the areas you find particularly significant, surprising, contradictory

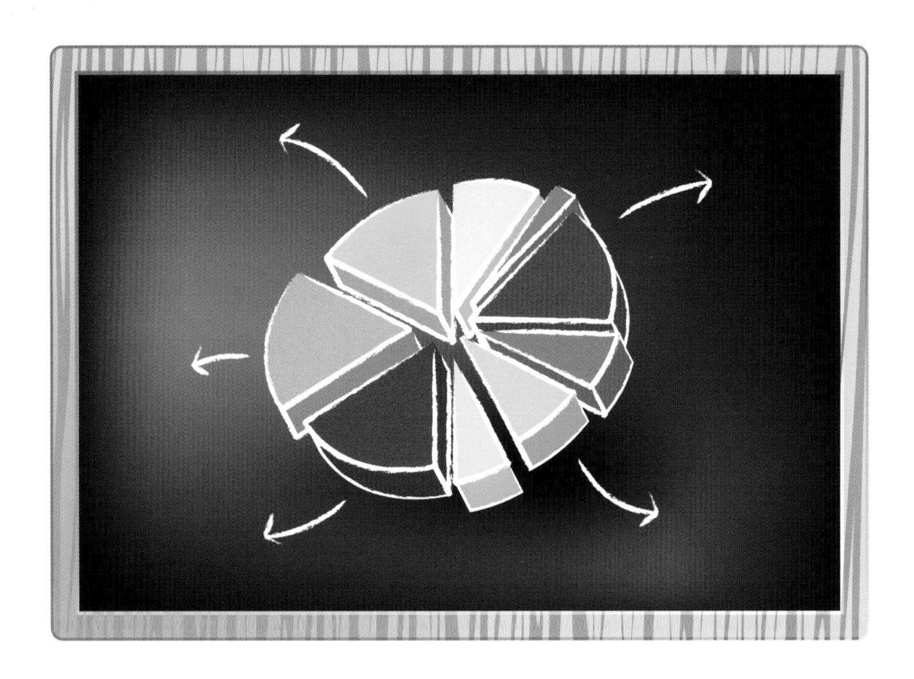

- Consider partiality
- What type of evidence does the argument rely on, how does this relate to its content, context, dissemination and reception?

Evaluate

- What type of source is it?
- How does this source work for academics in your field?
- What are the issues surrounding its use as a source?
- What would it particularly illuminate about a time/event?
- What might be omitted?

Lectures and Seminars

If you have read the Course Outline, completed the core reading and thought about the topic in general, then lectures and seminars can be enjoyable events; oh yes they can!

However there will be some weeks when completing all the reading is just not possible, don't worry - still attend. In fact it is even **more important** to **attend** lecture and seminars if you have not managed to do all the reading, as they will provide an overview on the topic.

Ultimately the best way to get the most out of a lecture is to use a **Recording Device** as well as writing notes. This enables you to concentrate on your own thoughts and make notes on them, rather than just scrawling down what is being said.

It is also important to find time after a lecture or seminar to go through and write up your notes. Having organised and clear notes really does help to save time when it comes to revision.

Find the best way for *you* to keep and organise notes taken from lectures and seminars.

This could be an A4 folder with a separate tab for each topic, folders and files set up on a computer or even by using Microsoft OneNote, which is a program that collates all your Word documents into a virtual ring folder and has the benefit of adding whole PDF files and web links for future reference.

The experience of a lecture or seminar depends on you and your classmates. Sit and stare out of the window feeling bored and you will get nothing out of it. Interact and think about how to apply information and you will find the sessions very useful.

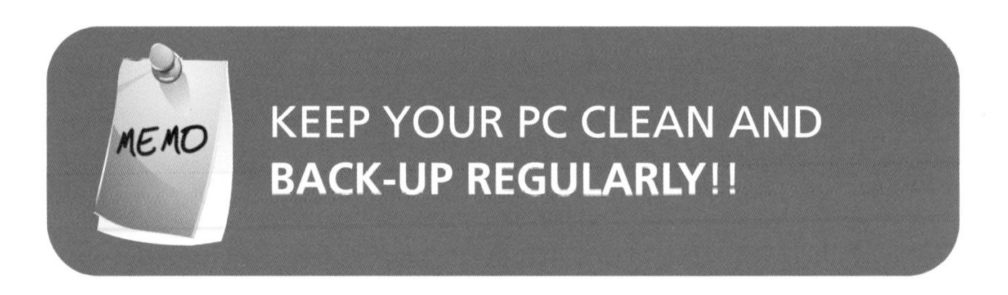

MEMO
KEEP YOUR PC CLEAN AND
BACK-UP REGULARLY!!

Revision

No, it is not a time for cleaning the house, sorting out your MP3 collection, or any other procrastination tactics. The sooner you get down to revision the better. Really, it's true! As with all your studies organisation is the key to success and there is a very simple way of getting your revision done with minimal fuss, but **START AS SOON AS YOU CAN**.

Revision time is the time for revisiting what you have done on the course.

1. Read Course Outline

Everything you need to know is here. The Course Outline contains details of what you need to achieve, all the topics you have covered, questions to think about and more; it is a quick refresher.

2. Think about the subjects covered

Use the Course Outline to jog your memory on the topics you covered throughout the course. Think about which ones you enjoyed and felt you understood and the ones that really lost you.

3. Look at mock and old exam papers

Mock and old exam papers are normally found online, or ask your tutor. Try to get as many different papers for your course as you can, as they are the key to the type of question you will need to answer. The likelihood of the same question as last year coming up is practically nil. However look for patterns and key themes in past papers to give you clues as to what is likely to arise.

4. List subjects/week topics in order of preference

Often each week covers a different topic and courses normally span 10 weeks, so by listing the topics from 1 to 10, (1 being the subject you most engaged with and 10 the least) you will have a clear idea of what you need to tackle. Think about these choices carefully; they are yours and nobody else's, so do not be swayed by friends.

1. Subject 1
2. Subject 3
3. Subject 5
4. Subject 6
5. Subject 2
6. Subject 8
7. Subject 4
8. Subject 10
9. Subject 7
10. Subject 9

5. Consider how many subjects to cover

Find out how many choices of questions will be in the exam and how many questions you need to answer. These are key elements to find out, as you don't need to revise everything covered in the course. If you looked at the previous exam papers you should now have a fair understanding of the sort of questions you will be asked.

So say you have 10 weeks/subjects over the entire course, and the exam will require you to answer 2 out of 6 questions, you should be able to cut your list of subjects by half – YES HALF! Take these factors into consideration and chop that list of subjects down to a safe and manageable level – if you are unsure, ask your tutor for guidance.

6. Revision Timetable

You are now in a position to plan your revision and you have a better idea of what you are going to revise.

* Firstly ascertain how long you have.

* Pair up subjects that you find more difficult with ones you find more easy to deal with and tackle them together. For example, if you now have 5 subjects left you could revise 1 (easy) and 4 (difficult) together, 2 (fairly easy) and 3 (fairly difficult) together and then devote time to 5 (very difficult) by itself.

* You will need to devote time to each of the following stages to complete your revision and ensure that you have plenty of relaxation time too – **be realistic**.

7. Scan Notes

The first thing you will need to do is to scan your lecture, seminar and reading notes. Just read them through; you'll be amazed just how much you did take in and do actually remember. Think about other subjects you have covered that fit with this one. Just READ, THINK and RELAX.

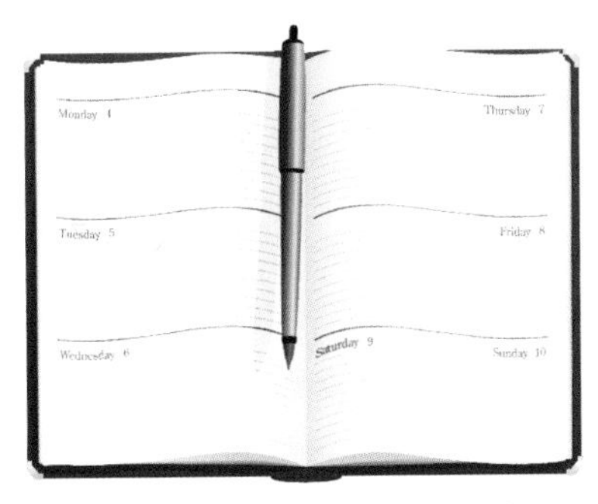

Remember revision is just that – it is not about learning something 'new' - you are revisiting your work/course. Indeed during your research for essays and assignments you will, to some extent, have been 'revising' anyway.

8. Outline on A3 paper

The next step is to go through all your notes

again and produce a concise outline of the facts and themes you need to remember. A piece of A3 paper and a bundle of different coloured pens are ideal for this. Only write on one side of the paper, use a different colour for each fact or theme, and try to only use one sheet per subject – BE CONCISE. Link different themes in spider diagrams; list facts as numbered bullet points, draw pictures; make rhymes – anything to help you remember!

9. Reduce Notes

Once you have looked at your outline on the A3 sheet and read it through several times, condense it further to a single A4 sheet containing the basic elements you need to learn. Again only write on one side.

10. Learn

By now you have just one piece of A4 paper for each of the topics you need to revise, all clearly set out on just one side, making it a simple task to read and re-read until you have learnt all the points needed for your exam.

If you are having problems getting facts to stick in your head:

- Stop and take a break, then
- Rethink your learning style. Rather than just repeating unsuccessful learning behaviour, consider a different way to look at the facts
- Use colours, pictures, diagrams, music
- Link facts to a friend or famous person. Having an image or rhyme in your head rather than a sentence often enables better memory recall

It is important to define
'aims' and 'objectives' when
revising. Note down tasks
you need to complete and
give yourself deadlines, but
REMEMBER TO TAKE
REGULAR BREAKS and
to BE REALISTIC.

Learning checks are also useful:

- Get a friend to ask you questions or for explanations
- If you do not have such a person, think of other ways of ensuring good recall, for example, leave Post-It notes with questions around the house for you to answer
- Write brief notes/make diagrams/charts and then check against your revision notes to see what you can recall from memory

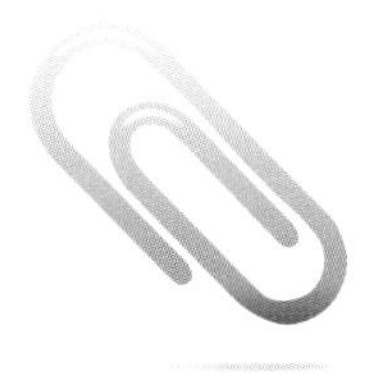

Re-cap:

1. Read course outline
2. Look at mock and old exam papers
3. Think about subjects covered
4. List subjects/weeks topics in order of preference
5. Consider how many subjects you should cover
6. Devise a *realistic* revision timetable
7. Scan notes
8. Outline on A3 paper
9. Reduce notes
10. Learn

Exams

Word Count Guide

Examiners are looking for a rate of about 30 words per minute (wpm). However as we all need to think while writing, a realistic rate is 20-25 wpm.

Therefore for a 1 hour exam question, allow 15 minutes to read the question and plan, then about 45 minutes to write your answer, which should be around 1,000 words in length.

Your introduction and conclusion ideally accounts for around 25% of your answer, and the body for 75%.

Planning

DON'T PANIC!! Avoid the temptation to start writing as soon as you get the question paper. Planning is the most important time during the examination; **IT WILL HELP**.

A concise plan can be set-out in 5 easy steps (it is a good idea to have 3 different coloured pens or highlighters to identify different elements of the question).

1. **Highlight the subject for each of the questions.**

   For Example: What did Max Weber mean by the Protestant Ethic? The subject of your essay here is 'Max Weber' and 'Protestant Ethic' and these are the topics you will need to address.

   This action will also help to identify which questions you can attempt.

2. **Identify the instructions.**
   What are you being asked to do by the examiner?
   All questions will either require a factually-based answer or an opinion. If you are not sure look at your pen and think about the question in relation to it.

For example:
What did the pen do? Well it wrote, so that's a fact.
Describe the significance of your pen. Fact again, as you are describing the aspects that make the pen significant.
Discuss the concept of a pen. The question here asks for your opinion, it wants you to discuss (or debate) the pen.
Whether the answer is fact or opinion will determine the conclusion. For fact-based questions you will need to provide a summary and for opinion questions you will need to provide YOUR opinion based on the evidence given.

3. **Identify the key words.**
   Look at the question and find the key to what it is asking. Are you being asked what something means, its significance, what is understood by the themes or their role?

4. **Turn the question into an answer.**
   For example:
   'Describe the significance of the Reformation for modern religious history', becomes 'The significance of the Reformation for modern religious history is...'
   'Explain the position of Ireland in British religious history', becomes 'The position of Ireland in British religious history was...'

5. **Ask why?** – relate the answers you have written back to the question.
   Expand on the answer sentence to provide you with about 3 key topics (assuming a 1 hour question) that you will look at in your answer. Then expand on these further and think about how these key topics are related to the question and each other.
   This will provide you with your topic and summary sentence for each section of your answer.

Let's put all that together with a nice simple question:

How is your pen different from your pencil?

1. Identify the subject – highlighted in pink
2. Identify the instructions – highlighted in blue. It is a FACT based question looking for a SUMMARY and an ANSWER
3. Identify the key words – highlighted in green
4. Turn the question into an answer:
   My pen is different to my pencil because…
5. Ask Why?
   1. It is blue and my pencil is yellow
   2. It writes in ink and my pencil write in lead
   3. It does not have an eraser on the end like the pencil

You now have a comprehensive plan and a clear idea on the topics you need to write about in order to answer your question. However you are not quite ready to start writing just yet.

Next, think about your introduction.

A good introduction does 4 things:

1. **What it's about** - Tell the examiner what question you are going to answer.
2. **Defines words** – Define any words that may be ambiguous or have a specific meaning.
3. **Context** - Provide a contextual setting for your answer.
4. **Signposting** - Finally, provide CLEAR signposting on how you are going to answer the question.

Let's take a look at these elements in relation to the simple pen question:

How is your pen different from your pencil?

This essay is going to consider how the pen is different to the pencil, both are pictured left. Both the pen and pencil are useful writing implements which have been in common use for several hundred years. Although they have a common function they differ considerably. In order to establish these differences I will be exploring the colour, writing medium and physical differences between the pen and pencil.

Bear this formula in mind for each topic/section of your answer, as it will not only help the examiner to understand exactly what you are trying to say, but it will also provide you with an ongoing guideline while writing.

Right, NOW you are ready to start writing.

Re-cap

1. Highlight the subject

2. Identify the instructions

3. Identify the keywords

4. Turn the question into an answer

5. Ask why

Gobbet Exam Questions

A 'gobbet' is simply a quotation from a text that you are expected to discuss in mini-essays, typically of around 500 words (remember you still have a basic Intro, Body and Conclusion structure).

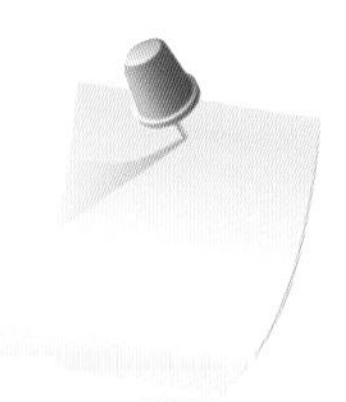

Situate, Analyse, Evaluate (remember them as SAE)

Situate

Where is the passage from? Consider a few brief details about the text, the author and the historical context in which the passage was produced.

Analyse

What does the passage say? Look fairly closely at the words on the page: what are the significant phrases? How does it illuminate the issues discussed during the course?

Evaluate

Why are you being given this passage? Why is it important? What do you have to say about it?

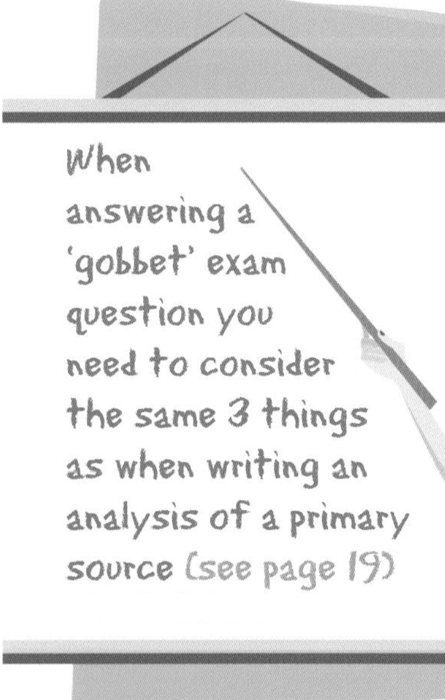

When answering a 'gobbet' exam question you need to consider the same 3 things as when writing an analysis of a primary source (see page 19)

In Summary

Get organised

Plan ahead

Use the reading formula to make notes from all core reading

Start revision early

Plan *before* writing in exams

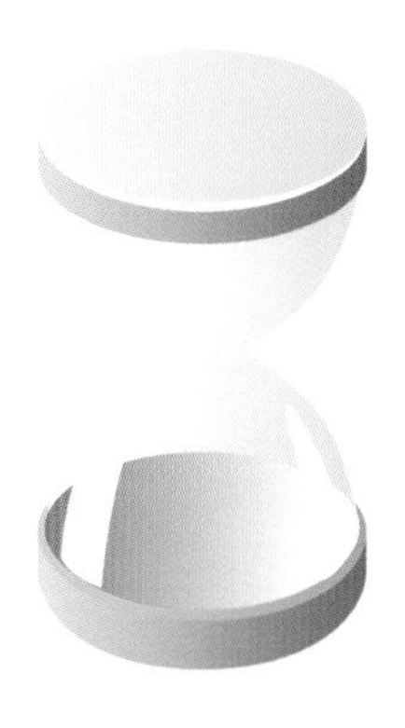

Things I found helpful

- Having my own computer and Internet connection
- Inspiration mind mapping software

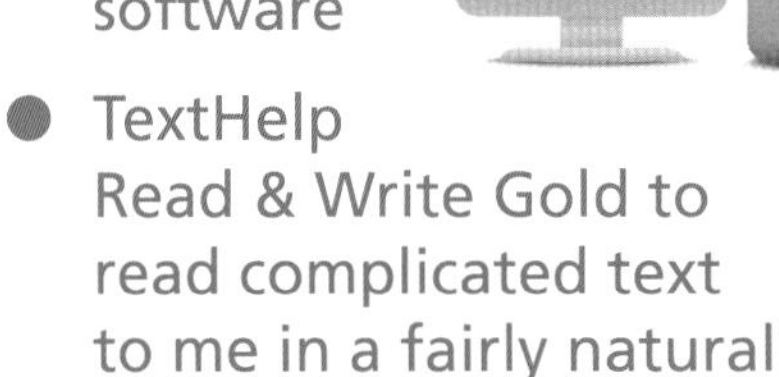

- TextHelp Read & Write Gold to read complicated text to me in a fairly natural sounding voice
- Microsoft OneNote to help me be organised
- AceCad Digimemo took my scribbled notes and made them into text
- Handheld Scanner which helped me quickly make notes in the library
- Electronic Dictionary & Thesaurus for looking up the meaning of words quickly and finding appropriate words when your brain has shut down!
- The Introducing Books series gives an easy-to-read background on hard-to-grasp topics

Using a computer for your studies

I couldn't have survived my time at University without my own PC and internet connection.

You don't need an all singing and dancing computer, the basics will do, but you do need to remember to back up your data regularly and keep your PC clean. Your computer will be affected by large memory-eating items such as games and other media, which can cause it to crash and lose your work! So keep your PC clean and data backed up. So …

- Back up data to a CD/DVD, USB Memory Stick or External Hard Drive at the end of every day
- Use a good Anti-Virus programme. Scan the whole computer regularly and make sure the updates are installed
- Use the System Tools in Windows (Start > All Programmes > Accessories > System Tools) to help keep your PC clean and running well; especially Disk Defragmenter and Disk Cleanup
- Beware of Spyware. These are not viruses but can have a serious effect on your PC. Use a spyware scanner like SPYBOT, which is free, to scan your computer regularly, but remember to update before scanning

Using Software and external devices

Inspiration
(www.inspiration.com)

I found Inspiration extremely helpful in planning essays. It allows you to create rapid fire spider diagrams and generate ideas, and then transform these into a bullet pointed list in Microsoft Word; all ready for you to use as an outline for your essay.

Additionally the colour and pictures that can be added to Inspiration diagrams can be very useful for organising exam revision, as well as for

interesting seminar presentation handouts or OHP transparencies.

TextHelp Read&Write Gold

(www.texthelp.com)

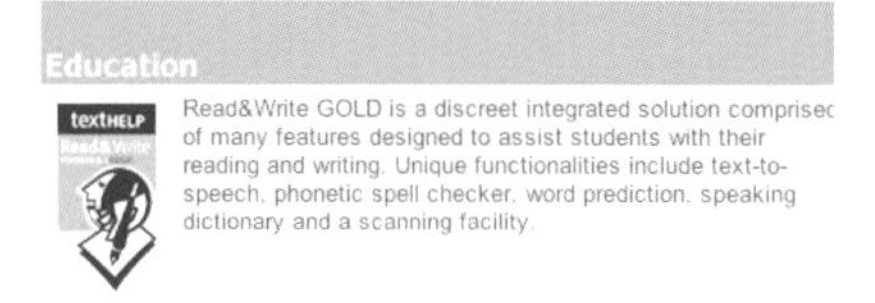

The main problem I experienced during my time at University was keeping up with the vast pile of complicated academic text that I was required to read.

TextHelp Read&Write Gold dramatically reduced the time it took for me to read, helping with this otherwise impossible task.

This software provides a realistic sounding voice to read text to you. Text can either be scanned in from books or core reading material, read directly off web pages, or via Word so you can use the program to proof-read your essays back to you.

What I found incredible about this software was the realistic tonal quality of the voice and the floating toolbar that can be used with any open application.

Microsoft OneNote

(http://office.microsoft.com/en-gb/onenote)

I like to be organised and to know where all my notes are.

However what with written notes, photocopies from books, core readings and print-outs from websites, I found I ended up with an overwhelming file, which just looked depressing, especially

when it came to revision time.

OneNote provides a computer-based notebook, which can be divided into different subjects and pages, enabling you to keep all your notes electronically. Not only that, but the software is able to link to other files on your PC, automatically record the details of websites you have taken text from, insert pictures and even audio files, as well as linking to the Microsoft Outlook calendar facility so you can remind yourself when tasks have to be completed by.

Free trials of these three software packages are available online so you can try before you buy

AceCad Digimemo

(www.acecad.com)

I believe every student should have a Digimemo! It is a stand-alone clipboard style device, with a storage capacity. It digitally captures and stores everything you write or draw on ordinary paper.

If that is not incredible enough, the handwriting recognition software can transfer these notes as text, via USB, into Microsoft Word or another application on your PC!

The Digimemo comes in different sizes too, including A5 and A4, has the capacity to extend the onboard memory by using standard SD cards, and costs a lot less than you would think.

Handheld Scanner

Another device I found incredibly helpful was my handheld pen style scanner. Whilst this sort of technology is still fairly expensive, having a small portable scanner to take notes from books saves lots of time and energy writing scruffy notes or carrying heavy books back and forth from the library. Some of these pens also have the ability to read the text back to you, or provide definitions for a single word, and are as simple as using a highlighter.

Electronic Dictionary & Thesaurus

A good dictionary and thesaurus is a must for all students, but I found it hard to find words - often getting muddled with the alphabet. I tried using online dictionaries, but when you are in a lecture or a library this method is not possible. In the end I invested in a small electronic dictionary and thesaurus, which has been worth its weight in gold. Not only could I easily look up words during a lecture, but I could also use it to find more appropriate words when writing an essay and prevent repetition when my brain had switched off and I had 'writer's block'.

Introducing Book Series by Icon Books
(www.iconbooks.co.uk/intro.cfm)

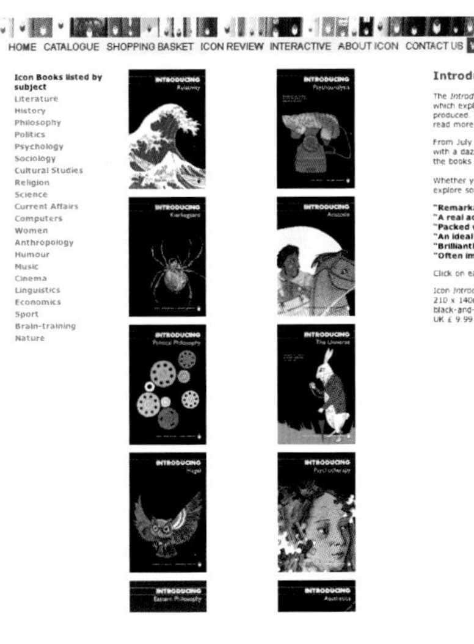

I often found myself coming across a theory or a person that I had little or no knowledge about while everyone else appeared to be nodding and understanding. Trying to find information on the likes of Nietzsche or the basic theory of Empiricism in the University library normally just turned up huge dusty volumes going into the dark depth of the hypothesis, when all I needed was the basics! Quite often I turned to Wikipedia (slap wrists). Yes I know that Wiki is almost a swear word amongst academics, but it can be helpful when you just need a basic understanding or overview. But BEWARE if you use Wikipedia or any other non-academic website, you should always remember that it may not be accurate and never refer to such sites in an essay!

Then one day I found the Introducing series by Icon Books. This collection of over 70 titles covers a wide range of topics, including media studies, sociology, philosophy, politics and anthropology, in a clear

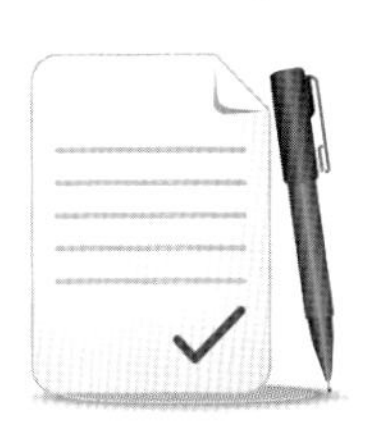

concise fashion using plenty of diagrams and illustrations on every page to help the reader and provide a basic, entertaining overview of the subject in hand. In fact I was so delighted with the series I went on to purchase many titles that had little bearing on my course. One day I suddenly found I was nodding and understanding what the lecturer was talking about – it was a great feeling!

These are the things I found most helpful during my studies; however technology is advancing every day and new study aids are always being produced, so if you find something difficult and holding you back, do some research and see if there is a software package or other device that will help you. Ask friends, tutors or your Learning Support department on campus for advice. Sometimes items may seem quite expensive, but if it helps you get to grips with your studies and allows for a more relaxed atmosphere, then you will find it is worth its weight in gold in the end.

Good Luck!

You can do it!!

Notes

Notes

I certify that No 11/81 Pte C. McColl 1/4th East Yorks Regiment was executed by shooting at 7.41 A.M. on Dec. 28th 1917 at the Prison, Ypres. Death was instantaneous.

[signature]
Capt. RAMC.

T.Capoen

Unquiet graves

British and other Army executions of the First World War have always been a highly sensitive matter – at the time as much as today. The armies of the day used executions to set an example to the troops – a warning of the sort of punishment that could be meted out for breaches of discipline. To reinforce the message, they needed to be very public events. Yet, because of public sensitivity about the brutality of the act itself, information about the executions was at the same time kept very secret, and became more and more so during the later years of the war.

After the war, all armies made their files on the executions top secret, and in writings about the conflict the issue was generally ignored. Only in the past fifteen years have a number of these files been opened, and the general public become aware of the executions. Books have been written, lists of names published. And the last of the war's veterans have told their part of the story, as

(hierboven) Ieper, de heropgebouwde Lakenhallen met Belforttoren. (rechts) Het landschap ten zuiden van Ieper heeft zijn schoonheid herwonnen.

Rusteloze graven

Executies in het Britse en ook in de andere legers van de Eerste Wereldoorlog zijn altijd al delicaat geweest – vroeger zowel als nu. De legers van toen gebruikten executies om voorbeelden te stellen, om hun troepen te waarschuwen van wat de strafmaat kon zijn voor wie zich niet volgens de voorschriften gedroeg. In die zin waren executies heel openbaar. Maar omwille van de loutere brutaliteit van de daad, waren ze ook altijd verborgen en werden ze in de latere jaren van de oorlog steeds meer aan het oog onttrokken.

Na de oorlog werden alle dossiers van ter dood veroordeling met het grootste geheim omgeven, en in de geschiedschrijving van de Grote Oorlog haast volledig genegeerd. Het is pas in de laatste vijftien jaar dat een deel van de dossiers werd geopend, en dat het grote publiek over deze executies werd ingelicht. Er verschenen boeken over en lijsten met namen. De laatste overlevende veteranen gaven hun versie van de feiten, net als burgers die geschokt getuigden over de terechtstellingen – meteen werd duidelijk dat niet alleen militairen aanwezig waren geweest.

Het onderwerp werd zeer politiek toen een steeds groeiend aantal mensen hun afschuw over deze executies begon uit te drukken. Velen vinden dat het voor de regeringen van de landen die dergelijke maatregelen hanteerden, hoogtijd is geworden om deze strafzaken opnieuw te bekijken, en om daaruit de passende besluiten te trekken voor alle betrokkenen. Anderen zijn echter van mening dat we het verleden moeten laten rusten, en dat de daden van toen alleen maar binnen hun historische context kunnen worden beoordeeld.

Aan dit debat voegt *Rusteloze Graven* het getuigenis toe van het landschap waarin de gebeurtenissen plaatshadden. Deze gids voert naar de sites die een sleutelrol spelen in deze vreselijke geschiedenis. *Rusteloze Graven* voegt voor het eerst alle relevante documenten en getuigenissen samen met de gruwelijke plaatsen van executie en de graven van de geëxecuteerden.

have the horrified civilians who witnessed the shootings, for military personnnel were not the only people present. The issue has now become highly political, and large numbers of people have expressed their horror at the executions. Many feel that the time is now ripe for the present governments of nations that carried out such measures to review the sentences and look into the effects the executions have had on all concerned. However, others feel strongly that the past should be left alone, and that actions of long ago can be judged only within their historical context.

To this debate *Unquiet Graves* now wants to add the evidence of the landscape where it all happened. It offers a guided tour round locations that played a key role in the whole terrible business, bringing together for the first time the witness accounts and relevant documents, as well as the sites of the executions themselves and the graves of the executed. A selected number of these very unquiet graves and relevant sites, long overgrown by time, is grouped together in a journey back to the mad world where such horrors could exist.

The book that accompanies this tour (and which is on sale separately) gives an in-depth, chronological account of all cases that we meet during the tour, along with an up-to-date list of the executions of all nationalities carried out in the Westhoek of Flanders.

(left) The reconstructed Cloth Hall and Belfry Tower in Ypres (now spelled Ieper). (below) The countryside south of Ieper has regained its beauty.

The tour can be followed by motor vehicle or cycle – most roads are accessible to all kinds of traffic. However, we have selected a different itinerary for motor vehicles and for cycles, and colour-coded them. Red, along the larger and more direct roads, is the recommended route for cars and coaches. Green is for cyclists – the greater part of the journey is through lovely countryside, so it is ideal for them. The routes meet at each site of interest.

T.Capoen

Een bijna toevallig aantal van deze rusteloze graven en van door de tijd lang overgroeide sites gaan voor op een reis naar de waanzinnige wereld waarin dergelijke gruwel kon bestaan.

Een gelijknamig boek sluit bij dit gidsje aan. Het is apart te koop en geeft een grondige en chronologische analyse van al deze gevallen, alsook een lijst van alle tot nu (mei 2000) bij naam gekende geëxecuteerden van de Eerste Wereldoorlog in de Westhoek van Vlaanderen.

Deze route kan worden afgelegd met de auto of met de fiets – bijna alle wegen kunnen door beide worden gebruikt. We verkozen niettemin om een verschillende reisroute aan te geven voor fietsers en voor het motorverkeer. De rode weg toont de bredere en directere wegen en wordt aanbevolen voor wagens en bussen. Groen is voor fietsers en leidt langs smallere landwegen. De routes ontmoeten elkaar minstens bij elke halte.

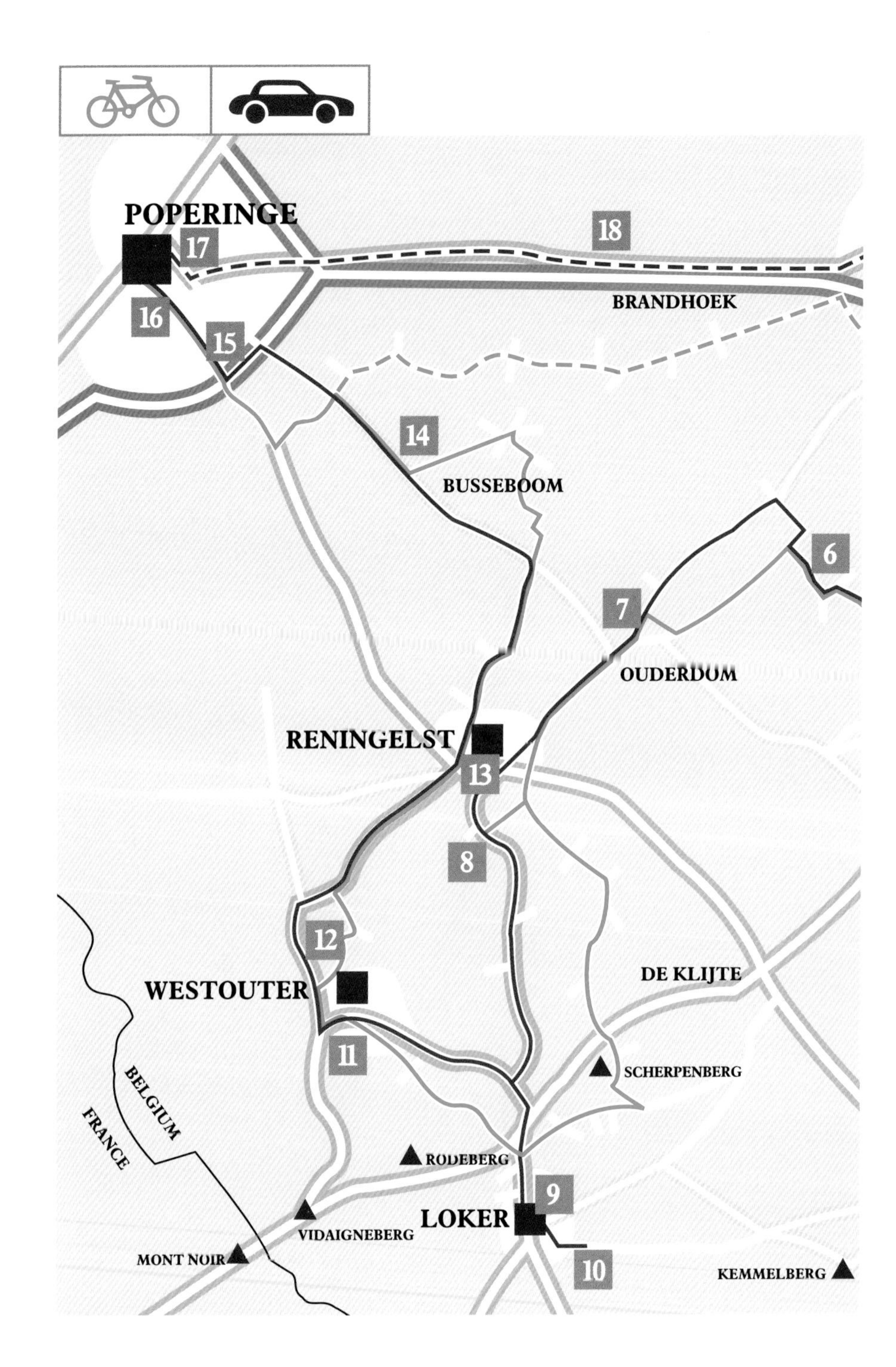
POPERINGE
17
18
16
15
BRANDHOEK
14
BUSSEBOOM
6
7
OUDERDOM
RENINGELST
13
8
12
WESTOUTER
DE KLIJTE
11
SCHERPENBERG
BELGIUM
FRANCE
RODEBERG
9
LOKER
VIDAIGNEBERG
MONT NOIR
10
KEMMELBERG

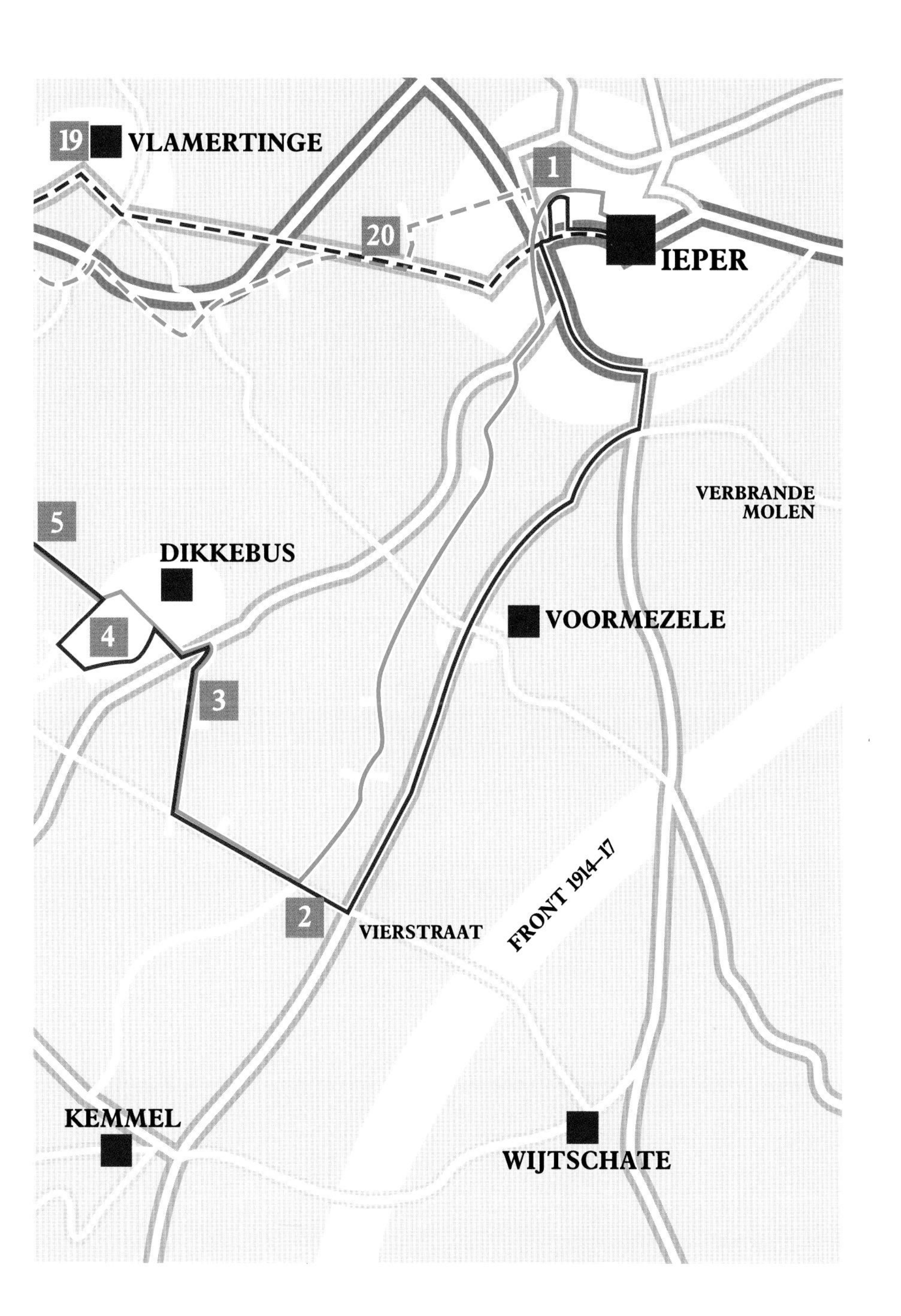
19
VLAMERTINGE
1
20
IEPER
VERBRANDE
MOLEN
5
DIKKEBUS
4
VOORMEZELE
3
2
VIERSTRAAT
FRONT 1914–17
KEMMEL
WIJTSCHATE

START: The exit of the In Flanders Fields Museum and Visitor Centre, Cloth Hall, Grote Markt, Ieper

Executions did not often take place close to the frontline. Courts martial were convened, and the sentences carried out, in the rest areas. For most of the war, the old town centre of Ieper (Ypres, as it was then known officially; or Wipers to the British soldiers) was too close to the front for comfort. Certainly after the German gas attack of 22 April 1915, when all remaining civilians were evacuated, and before the British advance in the Flanders Offensive in the late summer of 1917, only troops in close support of the frontline would stay in the town. So executions took place in Ieper only before or after those dates.

On 11 February 1915 Sister Marguerite of the Lamotte convent, a very reliable witness, wrote in her diary that a British soldier had been executed in the former infantry barracks, in the town centre. But she was reporting a rumour that was only partly true. A British soldier was executed on that day (he was Pte. George Povey of 1 Cheshire Regt., 5 Div.), but at Dranouter, 10 miles south of Ieper. If there was a shooting at the barracks that day, it is more likely that it was of a French soldier from General Dubois' 9e Corps d'Armée, which was in charge of the Ieper Salient throughout the first winter. The Corps was billeted outside Ieper, but the town centre was used for many official occasions, such as parades or the celebration of Mass; and for courts martial.

To date little is known about any individual execution cases in the French Army in Flanders. There is, however, evidence of executions at Verlorenhoek (along the Zonnebeke Road), Elverdinge, Poperinge, Proven, Haringe and Roesbrugge, the General Headquarters of the French Army in this sector.

There is one known case of decimation (the shooting of every tenth person in a unit).

START: Lakenhallen, Grote Markt, Ieper. Aan de uitgang van het In Flanders Fields Museum en het Streekbezoekerscentrum

Executies werden meestal niet aan het front voltrokken. Krijgsraden en terechtstellingen vonden plaats in de sectoren daarachter, waar de soldaten gingen 'rusten'. Gedurende het grootste deel van de oorlog lag het oude stadscentrum van Ieper te dicht bij de frontlijn. De lijn was zo dichtbij gekomen na de eerste gasaanval van 22 april 1915, toen alle nog overblijvende burgers verplicht werden geëvacueerd. En ze bleef zo dichtbij tot aan de Britse vooruitgang tijdens de Derde Slag bij Ieper in de zomer van 1917. In die periode werd de stad alleen bevolkt door troepen 'in steun', als reserve achter de eerste lijn. Executies in de stad gebeurden enkel daarvoor of daarna.

Op 11 februari 1915 noteerde Soeur Marguerite van het Lamotteklooster in haar erg betrouwbare dagboek dat die ochtend een Brits soldaat in de voormalige infanteriekazerne, binnen de oude stadsmuren was geëxecuteerd. Ze had het bericht van horen zeggen en het was maar halfjuist. Die dag werd inderdaad een Brits soldaat gefusilleerd – soldaat George Povey van het 1ste bataljon Cheshire Regiment, uit de 5de Divisie -, maar dat was in Dranouter, zo'n 15 km ten zuiden van de stad. Indien die dag een executie in de kazerne plaatshad, moet het een Franse militair zijn geweest, een lid van het 9e Corps d'Armée van generaal Dubois dat de hele eerste winter de frontboog bij Ieper bemande. Het legerkorps had zijn rustkwartieren buiten de stad, maar het centrum werd vaak gebruikt voor officiële gelegenheden, zoals voor parades, het bijwonen van de mis of voor zittingen van de krijgsraad.

Tot vandaag zijn maar weinig details bekend over de executies van het Franse leger in de Westhoek. Er zijn bewijzen en getuigenissen van executies aan Verlorenhoek (langs de weg naar Zonnebeke), Elverdinge, Poperinge, Proven, Haringe en Roesbrugge, waar het algemene hoofdkwartier van de Fransen in België was gevestigd.

Daarbij is één geval van decimatie bekend

It happened on 15 December 1914 at 5 p.m. at Verbrandenmolen (Zillebeke) and involved the 10e Compagnie of 8 Battalion of the Régiment Mixte de Tirailleurs Algériens, who had refused an order to attack.

French troops in the town centre during the first winter of the war.

IFFM

Cross Grote Markt, with the Cloth Hall on your right. At the far end turn right onto Neermarkt and right into J. Coomansstraat. Cross Vandepeereboomplein, turn left at the end into Elverdingestraat. Take the first right into Minneplein, passing the Prison and Ypres Reservoir Cemetery on your left. Turn left at T-junction with Mk. Plumerlaan, and stop at the entrance to the cemetery.

Cross Grote Markt, with the Cloth Hall on your right. At the far end turn right onto Neermarkt and right into J. Coomansstraat. Cross Vandepeereboomplein into Boezingepoortstraat, then take the first left into Minneplein. Go straight across to the Prison wall then turn right, passing the Ypres Reservoir Cemetery. Turn left at T-junction with Mk. Plumerlaan, and stop at the entrance to the cemetery.

Franse troepen in het stadscentrum tijdens de eerste oorlogswinter.

(decimeren is het executeren van een tiende deel van de manschappen van een eenheid). Die had plaats op 15 december 1914 om 5 uur 's avonds bij Verbrandemolen (Zillebeke). De straf werd uitgesproken tegen de 10de compagnie van het 8ste bataljon van het Régiment mixte des Tirailleurs Algériens, die geweigerd had om in een aanval te gaan.

Kruis de Grote Markt, hou de Lakenhallen rechts, aan het einde (Neermarkt) rechts (J. Coomansstraat), over het Vandepeereboomplein, aan het einde links (Elverdingestraat). Eerste straat rechts (Minneplein), links zien we eerst de gevangenis en dan het Ypres Reservoir Cemetery, links aan de T-kruising (Mk. Plumerlaan), stop aan de ingang van de begraafplaats.

Op de Grote Markt kijkend naar de Lakenhallen, naar links (Neermarkt) en op het einde van het gebouw rechts (J. Coomansstraat) over het Vandepeereboomplein en rechtdoor (Boezingepoortstraat), eerste links (Minneplein), rechtdoor tot aan de muur van de gevangenis, rechts langs het Ypres Reservoir Cemetery, links aan de T-kruising (Mk. Plumerlaan), stop aan de ingang van de begraafplaats.

1 Ypres Reservoir Cemetery

Graves of Moles, Lawrence and McColl, shot at Ieper Prison

The British advance on 31 July 1917 pushed the front line further and further away from Ieper, and some buildings in the town were reoccupied. The province's prison had been badly damaged during the constant bombardments, but parts of it could still be used – as headquarters and a field ambulance station, as well as a prison and execution ground.

Three soldiers were shot at the prison and buried at the Ypres Reservoir Cemetery. The first was Pte.Thomas Moles of 54 Can. Inf. Bn, 4 Canadian Division. After the Fifth and Second British Armies had been badly mauled trying to conquer the Passchendaele (Passendale) Ridge, the Canadian Corps was called in during early October to give new power to the final big offensive. Moles had served on the Western Front since March 1917. When he arrived in Ieper, he had already been tried and convicted as a deserter and a thief. He was executed at 5.50 a.m. on 22 October 1917 (buried Plot 1, Row H, Grave 76).

The second was Pte. Ernest Lawrence, 2 Devonshires. On 8 November a Field General Court Martial (FGCM) assembled at the prison to try him for desertion. Lawrence was considered 'untrustworthy' and 'a useless soldier'. His commanders badly wanted to get rid of him, and did not take in account that his absences had not occurred when the battalion was in, or preparing for, the trenches. Still, Lawrence was executed by firing squad, under the command of the Assistant Provost Marshal (APM) of the 8 Division, at 6.50 a.m. on 22 November 1917 (Plot 1, Row I, Grave 111).

The third case was that of Pte. Charles McColl, 1/4 East Yorkshire Regiment, who had tried several times to desert. At his trial in Brandhoek on 21 December 1917, McColl claimed in vain that he was in a weak condition, and had tried to do his best. He was brought to the Ypres Prison to await the

1 Ypres Reservoir Cemetery

De graven van soldaten Moles, Lawrence en McColl, gefusilleerd in de gevangenis

De Britse opmars van 31 juli 1917 en volgende maanden duwde de frontlijn steeds verder weg van Ieper. Daardoor hervond de stad enkele van haar vroegere functies. De staatsgevangenis was erg beschadigd door voortdurende beschietingen, maar delen ervan konden nog worden gebruikt: als hoofdkwartier, als hulppost en ook als gevangenis en plaats van executie.

Drie soldaten werden in de gevangenis terechtgesteld en begraven in Ypres Reservoir Cemetery. De eerste was soldaat Thomas Moles van het 54ste infanteriebataljon in de 4de Canadese Divisie. Nadat het Vijfde en het Tweede (Britse) Leger waren leeggebloed in hun stormloop naar Passendale, werd het Canadese Corps in oktober opgeroepen om nieuwe kracht te verlenen aan de Big Push (het grote offensief). Moles diende sedert maart 1917 aan het Westelijke Front. Toen hij in Ieper aankwam, was hij reeds veroordeeld als deserteur en dief. Hij werd geëxecuteerd op 22 oktober 1917 om 5.50 u. in de ochtend (zijn graf: Vak I, Rij H, Graf 76).

De tweede was soldaat Ernest Lawrence, 2de Devonshires. Op 8 november werd een Field General Court Martial (FGCM), een krijgsraad te velde, samengeroepen in de gevangenis voor een aanklacht wegens desertie. Lawrence werd omschreven als 'onbetrouwbaar' en 'waardeloos als soldaat'. Zijn bevelhebbers wilden kennelijk zo snel mogelijk van hem af. Ze hielden alvast geen rekening met het feit dat geen van Lawrences afwezigheden zich hadden voorgedaan op een ogenblik dat zijn eenheid aan het front of op weg naar het front was. Lawrence had dus geen misdaden begaan waar de doodstraf op stond. Toch werd hij geëxecuteerd door een vuurpeloton onder het bevel van de Assistant Provost Marshal (APM) van de 8ste Divisie, op 22 november 1917 om 6.50 's ochtends (Vak I, Rij I, Graf 111).

Het derde geval was dat van soldaat Charles McColl, 1/4 East Yorkshire Regiment, die herhaalde malen had geprobeerd om te deserteren. Op zijn proces in Brandhoek op 21 december 1917, hield McColl tevergeefs staande dat hij zich slecht voelde, en toch had geprobeerd

confirmation of sentence. Sergeant Len Cavinder, McColl's platoon sergeant, who had been called as a witness by the court, was also responsible for escorting McColl to Ieper Prison. Cavinder, a deeply religious man, comforted the convicted soldier in his final hours, to the extent of kicking out of the prison cell the Army padre who came to tell McColl that he deserved to die.

Antony d'Ypres, Oostende

In a 1982 interview, Len Cavinder also described McColl's execution on 28 December 1917. McColl, then 26 years old, had his head covered with a hood-like gas mask which was reversed so that he could not see what was happening. He was brought out bound on a chair, and was shot against the prison wall by a firing squad of ten soldiers from the Military Police. An RAMC doctor certified that this happened at 7.41 a.m., and that death was instantaneous. The men in the burial party were 'shaking with shock at the ghastly affair, and left the dead man on a stretcher at the grave already dug', so that it fell to Cavinder and a soldier, Pte. Danby, to lower the body, and cover it, 'with a mass of icy soil, although we had no spades to shovel the soil in. I also had the momentary wish that

(left) Ypres prison at the end of the war. (below) Death certificate of Pte. Charles McColl written by the RAMC doctor who was present at the execution.

(hierboven) De Ieperse gevangenis aan het einde van de oorlog. (rechts) Het overlijdensbericht van soldaat Charles McColl, geschreven door de legerarts die aanwezig was bij de executie.

I certify that No 11/81 Pte C. McColl 1/4th East Yorks Regiment was executed by shooting at 7.41 A.M. on Dec. 28th 1917 at the Prison, Ypres. Death was instantaneous.

[signature]
Capt. RAMC.

PRO

zijn best te doen. Hij werd overgebracht naar de gevangenis in Ieper om op het vonnis te wachten. Sergeant Len Cavinder, McColls pelotonsergeant, was opgeroepen als getuige. Hij was ook verantwoordelijk voor het transport. Cavinder, een diep religieus man, stond samen met soldaat Danby de veroordeelde in zijn laatste uren bij. Hij zette ondermeer de legeraalmoezenier aan de deur toen die McColl kwam vertellen dat hij zijn straf verdiend had.

In een interview, afgenomen in 1982, beschreef Len Cavinder McColls terechtstelling op 28 december 1917. McColl, die 26 was, werd geblinddoekt met een oud type gasmasker, een zak met oogstukken, maar dan omgekeerd over het hoofd getrokken. Hij werd buiten gebracht gebonden op een stoel en tegen de gevangenismuur neergeschoten door een vuurpeloton van tien leden van de militaire politie. Een dokter van het RAMC, het medische korps, schreef in het attest van overlijden dat dit gebeurde om 7.41 u. en dat de dood onmiddellijk was ingetreden. De mannen die hem moesten begraven 'beefden van de schok bij dit vreselijke tafereel, en lieten de dode achter op een berrie aan de rand van het reeds gedolven graf.' Alleen Cavinder en Danby bleven over om het lijk te laten neerdalen in de kuil, en het te bedekken met een

a parson were present, so, I muttered "Ashes to Ashes" as we covered him.'(Plot IV, Row A, Grave 6).

Continue along Mk Plumerlaan. Turn left at end into Mk Haiglaan, right at roundabout and left at second roundabout into Mk Fochlaan. Straight across at traffic lights into Oudstrijderslaan, right at roundabout (N336 to Lille), then first right (N331 to Kemmel). Continue for 4 km until the crossroads at Vierstraat, then turn right into Vierstraat, towards Dikkebus.

Continue on Mk Plumerlaan. Straight across at end into Oude Vaartstraat, right at the end, cross over the railway and turn immediately left into Tulpenlaan. Turn right at end into Dikkebusweg and second left into Pannenhuisstraat, follow road for about 2 km, go straight across into Kriekstraat, continue for another 2 km. At the crossroads with Vierstraat, turn right towards Dikkebus.

A couple of miles south east of the town centre, there is a good view of the sites of the front line. After the first battle of Ypres (19 October to 22 November), the attacking German Sixth Army dug in on the higher land to the south and east of the town. The second battle brought the line closer in on the north, but to the south its position stayed constant. It ran from Mesen (Messines) to Wijtschate in the south, swinging east at St-Eloi to The Bluff, Hill 60 and Hill 62 to cross the Menin Road at Hoge and Bellewaerde. There it swept back west around the town towards Boezinge in the north, making a perfect semi-circle around Ieper that was known as The (Ypres) Salient.

At the higher end of the slopes, stood the German line; somewhat lower the Allied

(below) The frontline ran between Voormezele, in the foreground, and Wijtschate, in the background. The Germans always occupied the higher ground. (right) Towards the front line at Vierstraat.

'massa bevroren aarde, zonder spade. Ik wenste even dat er een aalmoezenier bij aanwezig was, en stamelde dan maar zelf "Stof en As" terwijl wij hem bedekten.' (Vak IV, Rij A, Graf 6).

Volg de Mk Plumerlaan tot het einde, links (Mk Haiglaan), aan de rotonde rechts, en meteen links bij de tweede rotonde de Mk Fochlaan in. Aan de verkeerslichten rechtdoor (Oudstrijderslaan), aan de rotonde rechts (N336 naar Lille), eerste weg rechts (N331 naar Kemmel). 4 km volgen tot kruispunt Vierstraat, rechts (Vierstraat) in de richting van Dikkebus.

Volg de Mk Plumerlaan tot het einde, rechtdoor (Oude Vaartstraat), rechts de spoorweg kruisen en meteen links (Tulpenlaan). Op het einde rechts (Dikkebusweg), tweede links (Pannenhuisstraat), volg deze weg ongeveer 2 km, het kruispunt oversteken (Kriekstraat), en opnieuw volgen gedurende ongeveer 2 km tot aan het kruispunt van Vierstraat, rechts in de richting van Dikkebus.

Even ten zuiden van Ieper krijgen we een goed

T Capoen

troops had dug their trenches. This front is still clearly visible in the landscape, with the churches of Voormezele on the lower (Allied) side, and Wijtschate the higher (German) side. At first the French held the entire Salient up to St-Eloi. From January 1915, they were gradually replaced, starting from the south, by British troops.

2 Vierstraat

Desertion of Scotton

The British Regular Army 3 Division occupied the sector south of St-Eloi, from Vierstraat to Kemmel. On 22 January 1915, Pte. William Scotton, who had enlisted on 30 July 1914, did not accompany his unit to the

T Capoen

(links) De frontlijn tussen Voormezele, voorgrond, en Wijtschate, achtergrond. De Duitsers namen steeds de hoogste positie in. (hierboven) Naar de eerste linie voorbij Vierstraat.

zicht op de frontlijn. Na de Eerste Slag bij Ieper (19 oktober – 22 november 1914) groef het aanvallende Duitse VIde Leger zich in op de hogere gelegen stroken ten zuiden en ten oosten van de stad. Na de Tweede Slag (22 april – 24 mei 1915) kwam het front in het noorden dichterbij, maar in het zuiden bleef de toestand ongewijzigd. De lijn liep van Mesen en Wijtschate ten zuiden, naar het oosten uitzwaaiend bij Sint-Elooi, The Bluff, Hill 60 en Hill 62, om bij 't Hoge en Bellewaerde de Meenseweg te kruisen. Vandaar plooide het front terug om bij Boezinge ten noorden van de stad uit te komen, een perfecte halve cirkel om de stad, die bekend werd als de Ieperboog of Salient.

De Duitsers lagen overal op de hoogste punten, de geallieerden groeven hun loopgraven daar net iets onder. In het landschap is dat verschil duidelijk te zien, zoals bij de kerken van Voormezele, lager gelegen en dus in geallieerde handen, en Wijtschate, op de hogere, Duitse zijde. In de eerste winter bezetten de Fransen de Salient tot aan Sint-Elooi. Vanaf januari 1915 werden ze afgelost door de Britten vanuit het Zuiden.

2 Vierstraat

De desertie van William Scotton

De Britse 3de Divisie bezette de sector ten zuiden van Sint-Elooi, tussen Vierstraat en Kemmel. Op 22 januari 1915 vergezelde soldaat William Scotton zijn eenheid niet naar de eerste lijn. Scotton, die zich vrijwillig gemeld had voor het leger op 30 juli 1914, daagde pas de volgende dag op bij La Laiterie (de melkerij langs de weg Vierstraat – Kemmel). Vermits het om een tweede afwezigheid in minder dan één maand ging, werd Scotton voor een krijgsraad gedaagd. Hij had geen verdediger op zijn proces.

Zijn eigen verdediging was uiterst beknopt: 'Ik voelde me raar, maar ik rapporteerde dat aan niemand tot mijn eenheid terugkwam. Ik ben niet naar de dokter geweest, omdat ik geen hulp van hem kreeg toen ik mij een week eerder ziek had

front near Vierstraat. He arrived the following day at the second line at La Laiterie (the Dairy on the road from Vierstraat to Kemmel). As this was his second absence in less than a month, Scotton was court martialled. He had no defending officer at the trial.

His own defence was very brief: 'I felt queer, but did not report myself to anyone until my section returned. I did not go to the doctor because I had had no satisfaction from him when I reported sick a week before. He only gave me some pills.' Scotton was found guilty of desertion, and shot at dawn at De Klijte on 3 February 1915. As with most of the executions very early in the war (see the case of Pte. Povey in Dranouter a week later), his grave was never found, and he is, therefore, commemorated on the Menin Gate at Ieper.

Continue on Vierstraat towards Dikkebus. At Y-junction turn right into Kerkstraat to Dikkebus. Stop at Dikkebus New Military Cemetery on your right.

Continue on Vierstraat towards Dikkebus. At Y-junction turn right into Kerkstraat to Dikkebus. Stop at Dikkebus New Military Cemetery on your right.

3 Dikkebus New Military Cemetery

Grave of J.S.V. Fox

Descending the slope, you can see the Demarcation Stone that marks the limit of the furthest German Advance (in April 1918). The village of Dikkebus became involved in the War as soon as the first troops arrived in the Westhoek. On 14 October 1914, men from the four armies (German, French, British and Belgian) passed through the village. Shortly afterwards the church spire, which was just two miles from the front line, was blown up, and the building itself used as a casualty

Headstone of Pte. J.S.V. Fox, 'In loving memory of our dearly beloved son – gone but not forgotten'.

gemeld. Hij gaf me alleen wat pillen.' Scotton werd schuldig bevonden aan desertie, en in De Klijte op 3 februari 1915 bij dageraad terechtgesteld. Zoals bij meer executies vroeg in de oorlog (zie bvb. Soldaat Povey een week later in Dranouter), werd zijn graf nooit gevonden. Daarom wordt Scotton herdacht op de Menenpoort in Ieper.

Vervolg langs Vierstraat naar Dikkebus, bij Y-kruising rechts de Kerkstraat in naar Dikkebus. Stop aan Dikkebus New Military Cemetery, rechts van de weg.

Vervolg langs Vierstraat naar Dikkebus, bij Y-kruising rechts de Kerkstraat in naar Dikkebus. Stop aan Dikkebus New Military Cemetery, rechts van de weg.

3 Dikkebus New Military Cemetery

Het graf van J.S.V. Fox

Als we de helling afdalen, zien we links van de weg de demarcatiepaal die het verste punt van de Duitse opmars aangeeft (bereikt in april 1918).

T Capoen

station. Soon, the first soldiers' graves appeared, initially in the churchyard, then in the surrounding fields.

By the time 20-year old Pte. J.S.V. Fox, a 3 Division cyclist, was executed here after prolonged desertion on 20 April 1915, the French and British had filled the Old Military Cemetery, and the British were busy filling the first of two more New Military Cemeteries.

The epitaph on Fox's headstone (Row D, Grave 15) reads: 'In loving memory of our dearly beloved Son/ Gone but not Forgotten.' His name was also included in the roll of honour in Chippenham parish church, and was inscribed on the town war memorial. It seems unlikely that his parents were ever told the circumstances of their son's death. Achiel Van Walleghem, the Dikkebus curate, made a note of the inscription on the first wooden cross, erected on the grave in 1915: 'Died of Wounds'. The term was technically correct, but was no doubt part of the Army's cover-up of the real facts about the cyclist's death.

Continue to end of Kerkstraat, turn left onto N375 and immediately right into Melkerijstraat. At first crossroads turn left into Windeweg, then first right into Zweerdstraat and first right again into Steenakkerstraat. Stop at The Huts Cemetery on your right.

Continue to end of Kerkstraat, turn left onto N375 and immediately right into Melkerijstraat. At first crossroads go straight across, then turn left at T-junction into Steenakkerstraat. Stop at The Huts Cemetery on your left.

As the war intensified, the importance of artillery increased. More and heavier shells were fired over a longer distance. At Dikkebus the guns were positioned to the West of the Ieper – Bailleul road (now N375). From early 1915 onwards, this part of the village became littered with army rest camps. At every farm, in every orchard and every little wood, there were camps of wooden huts or bell tents.

Grafsteen van soldaat J.S.V.Fox, 'In dierbaar aandenken aan onze geliefde zoon – weg maar niet vergeten'.

Dikkebus raakte heel vroeg in de oorlog betrokken, van zodra de troepen de Westhoek hadden bereikt. Op 14 oktober 1914 trokken troepen van de vier verschillende legers, Duitsers, Belgen, Fransen en Britten, door het dorp. Enkele dagen later werd de torenspits van de kerk, op maar 3 km van het front, gedynamiteerd. De kerk zelf werd een veldlazaret. Weldra verrezen de eerste soldatengraven in het kerkhof, daarna in de velden rondom.

Tegen de tijd dat de twintigjarige cyclist J.S.V. Fox van de 3de Divisie hier wegens een langdurige afwezigheid werd berecht en geëxecuteerd, hadden Fransen en Britten het Old Military Cemetery al gevuld, en waren de Britten druk bezig om ook het eerste van twee New Military Cemeteries te laten vollopen.

Het grafschrift voor Fox (Rij D, Graf 15) zegt: 'als liefdevol aandenken aan onze dierbaar geliefde zoon – weg maar niet vergeten.' Zijn naam is ook opgenomen in de Erelijst van zijn parochiekerk in Chippenham, en staat er op het oorlogsmonument. Het lijkt onwaarschijnlijk dat zijn ouders ooit op de hoogte werden gebracht van de ware doodsoorzaak. Achiel Van Walleghem, onderpastoor te Dikkebus, nam nota van het grafschrift op het houten kruis dat in 1915 het graf aangaf: 'Bezweken aan verwondingen'. De omschrijving is technisch correct, maar maakt ongetwijfeld deel uit van de misleiding omtrent de feiten van zijn overlijden.

Vervolg de Kerkstraat tot het einde, links op de N375 en onmiddellijk rechts (Melkerijstraat). Aan het eerste kruispunt links (Windeweg), eerste rechts (Zweerdstraat), eerste rechts (Steenakkerstraat), stoppen aan The Huts Cemetery.

Vervolg de Kerkstraat tot het einde, links op de N375 en onmiddellijk rechts (Melkerijstraat). Aan het eerste kruispunt rechtdoor, aan T-krusing links (Steenakkerstraat) tot aan The Huts Cemetery.

Naarmate de oorlog vorderde werd de artillerie

Railway tracks were built, new roads constructed, exercise grounds and ammunition and materials dumps established.

Many local farmers still lived there, and tilled the fields round the camps as best they could. They were allowed to do so as long as they could produce useful crops. This became more and more difficult. Life among the soldiers was not easy, and little by little the farmers saw all their fertile pre-war land utterly destroyed. The once verdant Flemish countryside, with its orchards and hedges and endless rows of poplar trees, became barren and disintegrated under the combined effect of the German artillery bombardments and neglect by allied troops. The area between Dikkebus and Ouderdom never recovered.

4 The Huts Cemetery

Graves of Spencer and Hughes

By the time the New Zealand Division had set up its rest camps here, in the final winter of the war, the place was beyond repair. The camp at the so-called Gretna Cross (now crossroads between Steenakkerstraat and Zweerdstraat) was nicknamed Mud Huts. The New Zealanders used it as a punishment camp. On Sunday 24 February 1918, Father Van Walleghem saw one of the two N.Z. infantry brigades leave the area. He says: 'At the Farm of Comyn [now Steenakkerstraat 23] an entire regiment of New Zealanders boarded two long trains, each of 45 wagons with 40 men per wagon.' Earlier that morning, at 6.40 a.m., Pte.Victor M. Spencer, a soldier of Maori ancestry serving with 1 Otago Regiment was shot. It was to be the last of five executions in the New Zealand Division. The priest, however, was not a witness to it.

Spencer was under age when he enlisted, yet he turned out to be a good soldier at Gallipoli. He also started well on the Western Front until 10 July 1916, when he was blown up by a shell in the trenches near Armentières. Pte. Spencer was treated for shell shock in hospital, and stated that ever since the accident his 'nerves had been completely

belangrijker. Meer en zwaardere projectielen werden over een grotere afstand afgeschoten. In Dikkebus stonden de meeste artilleriestukken ten westen van de weg Ieper – Bailleul (nu N375). Al vroeg in 1915 werd hetzelfde gebied ook volgestouwd met rustkampen van het Britse leger. Bij iedere hoeve, in elke boomgaard, elk bosje, werden kampen met houten barakken en kloktenten opgetrokken. Spoorwegen werden aangelegd, nieuwe wegen door de velden getrokken, oefenterreinen en depots met materiaal en munitie neergepoot.

Vele boeren bleven hier wonen, ondanks de oorlog, en bewerkten moeizaam hun velden naast en tussen de kampen. Ze mochten blijven zolang ze een nuttige oogst konden voortbrengen, wat steeds moeilijker werd. Het leven tussen de soldaten was niet gemakkelijk. Langzaam zagen de landbouwers al hun vruchtbare vooroorlogse akkers verwoest worden. Het eens zo overvloedige Vlaamse landschap, met zijn boomgaarden en hagen en eindeloze rijen populieren, werd kaalgeplukt en vernield door vijandelijke bombardementen en nietsontziende geallieerde troepen. Het land tussen Dikkebus en Ouderdom heeft zich zichtbaar nooit helemaal hersteld.

4 The Huts Cemetery

De graven van Victor Spencer en Henry Hughes

Toen de Nieuw-Zeelandse Divisie hier in de laatste oorlogswinter haar kampen had, was de plek hopeloos verwoest. Het kamp aan het zogenaamde Gretna Cross (nu het kruispunt Steenakkerstraat en Zweerdstraat) had de bijnaam Modderhutten (Mud Huts) gekregen.

De Nieuw-Zeelanders gebruikten het als hun strafkamp. Op zondag 24 februari 1918 zag pastoor Van Walleghem hier één van de twee Nieuw-Zeelandse infanteriebrigades voorgoed uit de streek vertrekken: 'Aan de hoeve van Comyn [Steenakkerstraat 23] stapt gansch een regiment Nieuw-Zeelanders op 2 lange treinen. Ieder van 45 wagons en 40 mannen per wagon.'

Wat de priester niet zag was dat, diezelfde ochtend, om 6.40 precies, Victor Spencer, een soldaat uit het 1ste Otago Regiment, maar van Maori afkomst, werd gefusilleerd. Het was de laatste van vijf executies die in de Nieuw-

destroyed'. After a second desertion he was again tried by FGCH and executed. As they moved out of the area, a fatigue party buried 20-year-old Victor Spencer, halfway between the crossroads at Mud Huts and the railway siding at Comyn's Farm. (The Huts Cemetery, Plot XV, Row B, Grave 10.)

Two rows away in the same plot (Row D, Grave 15) Pte. Henry Hughes, of the 1/5 Yorks & Lancs, is buried. The itinerary passes the field where he was executed on its way to the other side of Dickebusch Huts.

Continue along Steenakkerstraat, then take first left into Melkerijstraat, towards 'Dickebusch Huts' on your right.

Return along Steenakkerstraat and take first left into Melkerijstraat, towards 'Dickebusch Huts' on your right.

Pte. Victor M. Spencer, 1 Bn., Otago Regiment, New Zealand Division.

5 Dickebusch Huts

Plaque commemorating the site where Roe, Harris, Docherty, Burden, Hartells, Thompson, Robinson, Fellows and Fraser were executed

In the spring of 1915 the British Army deployed a series of rest camps in the area. The most important was called Dickebusch Huts, a group of wooden huts and tents standing in an orchard and a little wood in the now open fields between two farms to the right of the Melkerijstraat. In the summer that year, after the Second Battle of Ypres, nine soldiers of the British Army were executed here for desertion. They belonged to 3 or 5 Divisions.

Their names, regiments and dates of execution are: Pte. George E. Roe, 2 King's Own Yorkshire Light Infantry, 11 June 1915; Pte. Thomas Harris, 1 Royal West Kent, 21 June 1915; Pte. Thomas Docherty, 2 King's Own Scottish Borderers, 16 July 1915; Pte. Herbert Burden, 1Northumberland Fusiliers, 21 July 1915; four men from 3 Worcestershires;

Southland Times

Pte. Victor M. Spencer, 1 Bn., Otago Regiment, New Zealand Division.

Zeelandse Divisie plaatshadden.

Spencer was te jong toen hij zich had gemeld, niettemin was hij een goed soldaat gebleken in Gallipoli. Hij was ook goed begonnen aan de campagne aan het Westelijke Front tot hij op 10 juli 1916 door een granaat aan het front bij Armentières werd opgeblazen. Spencer werd in het hospitaal behandeld voor shell shock, en verklaarde later dat zijn 'zenuwen het sindsdien helemaal hadden begeven'. Een reeks pogingen tot desertie volgden, op hun beurt gevolgd door een reeks straffen, uiteindelijk door de fatale krijgsraad en executie. Net voor ze de streek verlieten, begroeven enkele Nieuw-Zeelandse soldaten Victor Spencer op de begraafplaats halfweg tussen Mud Huts en de hoeve Comyn. The Huts Cemetery Vak XV, Rij B, Graf 10.

Twee rijen verder in hetzelfde vak (Rij D, Graf 15) ligt soldaat Henry Hughes, uit het 1ste/5de Yorks & Lancs. Deze route komt ook voorbij aan de plaats waar hij werd gefusilleerd.

Volg verder langs de Steenakkerstraat, eerste links (Melkerijstraat), tot 'Dickebusch Huts'

Ptes. Albert D. Thompson, 26 July 1915; John Robinson, 26 July 1915; Bert Hartells, 26 July 1915; Ernest Fellows, 26 July 1915; and Pte. Evan Fraser, 2 Royal Scots, 2 August 1915.

All but one of these soldiers were buried at the edge of the camp. The exception was Pte. Docherty, whose grave lies a short distance away, along a path that ran between Dickebusch Huts and another camp called Walker Camp. It is most likely that Docherty was buried on the spot where he was executed.

Achiel Van Walleghem wrote: '24 July 1915 Sunday... In the evening I meet Father Gill, an army chaplain, on his way to Marcel Coene's farm (Melkerijstraat 52) to hear the confession of a deserter sentenced to be shot tomorrow morning. I give him a consecrated Host that will serve as the poor man's last communion. At the farm there are already three graves of executed men. I have seen these graves and nowhere did I ever find graves that were better kept. Marcel Coene tells me that many soldiers come to visit them.'

After the war, the small group of graves was moved to cemeteries of the Imperial (now Commonwealth) War Graves Commission (CWGC) in Zillebeke (Perth 'China Wall' Cemetery) and Ieper (Aeroplane Cemetery). The grave of 17-year old Herbert Burden could not be located. He was not

IFFM

(hierboven) Luchtfoto van de omgeving van Walker Camp, vanuit een Duits vliegtuig, april 1916. (boven rechts) De hoeve Marcel Coene met daarvoor de weide waar de vier soldaten van het 3de bataljon Worcesters werden geëxecuteerd. (rechts) Britse stafkaart van de omgeving van Dickebusch Huts.

aan de rechterkant.

Keer terug langs de Steenakkerstraat, eerste links (Melkerijstraat), tot 'Dickebusch Huts' aan de rechterkant.

5 'Dickebusch Huts'

Executieplaats van negen soldaten

In de lente van 1915 bouwde het Britse leger hier een reeks rustkampen. Het belangrijkste was Dickebusch Huts, een groep houten barakken en tenten in een boomgaard en een klein bosje rechts van de Melkerijstraat. In de zomer van dat jaar, net na de Tweede Slag bij Ieper, werden hier negen soldaten van het Britse leger gefusilleerd. Ze behoorden allemaal tot de 5de of de 3de Divisies.

Hun namen en de data van hun executie zijn: Pte. George E. Roe, 2 King's Own Yorkshire Light Infantry, 11 juni 1915; Pte. Thomas Harris, 1 Royal West Kent, 21 juni 1915; Pte.Thomas Docherty, 2 King's Own Scottish Borderers, 16 juli 1915; Pte. Herbert Burden, 1 Northumberland Fusiliers, 21 juli 1915; vier leden van het 3 Worcestershires: Ptes. Albert D. Thompson, 26 juli 1915; John Robinson, 26 juli 1915; Bert Hartells, 26 juli 1915; Ernest Fellows, 26 juli 1915; en tenslotte Pte. Evan Fraser, 2 Royal Scots, 2 augustus 1915.

Acht van de negen soldaten werden begraven aan de rand van het bosje. Alleen soldaat Thomas Docherty lag even verder, langs een pad tussen Dickebusch Huts en Walker Camp. Het is heel waarschijnlijk dat Docherty werd begraven op de plek waar hij werd gefusilleerd.

Achiel Van Walleghem: '24 juli 1915 zondag... In den nuchtend ontmoet ik pater Gill, aalmoezenier die naar het hof van Marcel Coene [Melkerijstraat 52] gaat om er de biecht te horen van eenen terdoodveroordeelde, deserteur sedert September, die morgen moet gefusilleerd worden. Ik geef hem eene H.Hostie die moet dienen voor

commemorated until the mid 1990s, when his name was added to the Menin Gate Memorial to the Missing.

Van Walleghem's observation that the graves at Dickebusch Huts were the best kept he saw in the war suggests a kind of special respect, or even silent protest, by the comrades of the executed men. The last man shot at dawn at Dickebusch Huts was Evan Fraser of 2 Royal Scots. In 1998, a veteran of that battalion claimed that he and a few comrades mounted a guard of honour at Fraser's grave in the weeks following his execution.

Next to the farm formerly known as Marcel Coene's, in the meadows between the barn and the road, the four Worcestershire men were shot together at 4 a.m. on 26 July 1915. This was the only quadruple execution in the British Army.

A fifth soldier of the same battalion, Cpl. Fred Ives, was sentenced, but not executed here – we will visit his execution place later on this tour. The five death penalties in less than

T Capoen

(left) Aerial photograph of the Walker Camp area, from a German plane, April 1916. (above) Marcel Coene's Farm and the meadow where four privates of the 3 Bn., Worcestershire Regiment were shot. (below) British map of the Dickebusch Huts area.

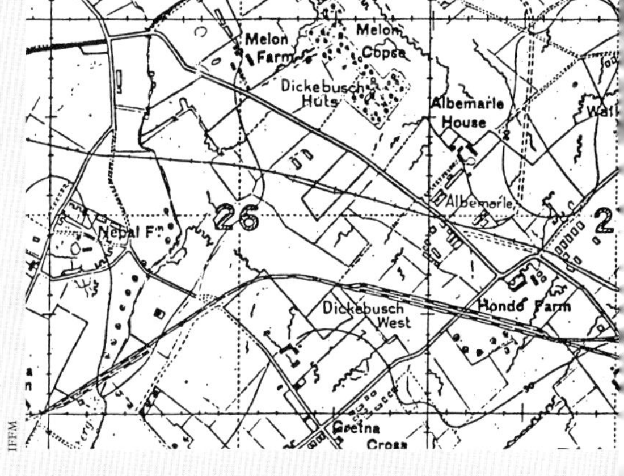

IFFM

de laatste communie van den ongelukkige. Op het hof van Marcel Coene liggen reeds drie gefusilleerde. Ik heb hunne graven gezien en nievers vond ik graven die zoowel onderhouden waren als deze. Marcel Coene vertelt mij dat de soldaten vele die graven bezoeken.'

Na de oorlog werd deze kleine groep graven overgebracht naar begraafplaatsen van de Imperial (Commonwealth) War Graves Commission (CWGC) in Zillebeke (Perth 'China Wall' Cemetery) en Ieper (Aeroplane Cemetery). Het graf van de 17-jarige Herbert Burden werd niet gevonden. Hij werd helemaal niet herdacht tot in de jaren '90 van vorige eeuw, toen zijn naam op verzoek werd toegevoegd aan de lijst van de vermisten op de Menenpoort.

Van Walleghems opmerking dat de graven aan Dickebusch Huts de best verzorgde waren die hij tijdens de oorlog zag, suggereert dat de kameraden van de geëxecuteerden er bijzondere aandacht voor hadden, de zorg was misschien ook een teken van stil protest. De laatste terechtgestelde bij Dickebusch Huts was Evan Fraser van het 2de Royal Scots. In 1998 getuigde een veteraan van dat bataljon dat hij met een paar maats een erewacht hield bij het graf van Fraser.

Vlak voor de hoeve van (voorheen) Marcel Coene, in de weide tussen de weg en de stallingen, werden op 26 juli 1915 om 4 uur 's morgens de vier soldaten van het 3de Worcestershires neergeschoten. Dit was de enige viervoudige executie in het Britse leger.

Er was nog een vijfde soldaat uit dezelfde eenheid, korporaal Frederick Ives, die in dezelfde periode werd geëxecuteerd, niet hier maar elders

a week constitute the most severe punishment meted out to any British battalion in the First World War.

Continue along Melkerijstraat. Stop where it crosses the Klijtebeek stream.

Continue along Melkerijstraat. Stop where it crosses the Klijtebeek stream.

6 Klijtebeek stream

Execution of Hughes

Pte. Henry Hughes, 1/5 Yorks. & Lancs., was already serving a suspended sentence for desertion when he was arrested at Poperinge on 8 February 1918. He had gone absent from Hussar Camp, Potijze (Ieper), on 8 January, allegedly when he should have been with a working party in the trenches. A FGCM assembled on 19 March and sentenced Hughes to death.

The commander of 148 Brigade described Hughes as 'from a fighting point of view of no value'. The officers commanding 49 Division and XXII corps and the Supreme Commander, did not hesitate to confirm the court's decision. On the night of 9 April Hughes was told that he was to be shot the next morning. A firing squad under the command of Captain F.G. Smith, Assistant Provost Marshal, of 49 Division, carried out the sentence at 5.50 a.m., where the Klijtebeek makes a sharp right turn in the field at the junction of the Melkerijstraat and Zweerdstraat. All trial papers refer to him as No. 242904 Pte. J. Hughes. The CWGC commemorates him as No. 242904 Pte. Henry Hughes, 27-year old son of John Charles and Ellen Hughes, of Sheffield.

At the end of Melkerijstraat, turn right into Zweerdstraat and right at T-junction. At the end turn left into Bellestraat (which becomes

The Klijtebeek stream at Millekapelle, where Pte. Henry Hughes was executed on 9 April 1918.

op deze tocht. Vijf doodstraffen voltrokken in minder dan één week, was de zwaarste straf die enig Brits bataljon ooit kreeg opgelegd.

Volg de Melkerijstraat verder, stop aan duiker over Klijtebeek.

Volg de Melkerijstraat verder, stop aan duiker over Klijtebeek.

6 Klijtebeek

Waarlangs Henry Hughes werd geëxecuteerd

Pte. Henry Hughes, 1/5 Yorks & Lancs, diende al onder een opgeschorte doodstraf wegens desertie, toen hij op 8 februari 1918 in Poperinge werd gearresteerd. Hij was een maand eerder weggelopen van Hussar Camp, Potijze (Ieper), toen hij op pad werd gestuurd met een groep soldaten om te werken aan het front. Een krijgsraad werd samengeroepen op 19 maart en die veroordeelde Hughes ter dood.

De generaals van de 148ste Brigade – die Hughes beschreef als 'vanuit een

T Capoen

De Klijtebeek bij Millekapelle waarlangs soldaat Henry Hughes werd geëxecuteerd op 9 april 1918.

gevechtsstandpunt van geen enkele waarde'-, van de 49ste Divisie, van het XXII Corps, en de opperbevelhebber, aarzelden niet om de straf te confirmeren. Op 9 april 's avonds werd Hughes gezegd dat hij de volgende ochtend zou worden gefusilleeerd. Een vuurpeloton onder het bevel van

Vlamertingseweg at Ieper–Poperinge boundary), continue for 1·5 km to Ouderdom. Stop at Grootebeek British Cemetery on your right.

At the end of Melkerijstraat, turn right into Zweerdstraat. At T-junction turn left into Torreelstraat (which becomes Kwakkelstraat at Ieper–Poperinge boundary). Turn right at the end into Kemmelseweg. At Ouderdom, turn left into Vlamertingseweg and stop at Grootebeek British Cemetery on your right.

7 Grootebeek British Cemetery

Special memorial to Lynn

In the hamlet of Ouderdom, the house formerly occupied by the local brewer (Vlamertingseweg 29) escaped largely unscathed during the shelling, unlike the brewery itself, which was completely destroyed and never rebuilt. The house was used as headquarters by several brigades and divisions. It was here that Pte. George Roe, one of the soldiers shot at Dickebusch Huts, was tried.

Grootebeek British Cemetery lies on an island in the Grote Beek (it means big brook in Flemish). Most of the graves date from 1918, but a few are of men who died in the Second Battle of Ypres in April and May 1915, which raged after the first gas attack of 22 April. There is a small plot of graves of Indian soldiers from the Lahore Division, which was stationed at Ouderdom for a short while. They are all recorded as having died of wounds, but that phrase in that period of the war often meant they had been gassed.

There is also a special memorial to Pte. J. Lynn, VC, DCM, 2 Lancashire Fusiliers, which does refer to gas. John Lynn, 27 years old at the time, was posthumously awarded the Victoria Cross on 15 June 1915. He had shown great bravery during a gas attack on 2 May 1915 near Shell Trap Farm, until the gas poisoning overpowered him. Just three days before this great honour for the Lancashire Fusiliers, a private from the same unit had

kapitein F.G. Smith, Assistant Provost Marshal van de 49ste Divisie, voltrok de straf om 5.50, precies op de plaats waar de Klijtebeek een scherpe bocht naar rechts maakt in het veld op de hoek van Melkerijstraat en Zweerdstraat. Alle documenten van het proces maken gewag van No. 242904 Pte. J. Hughes. Het CWGC herdenkt hem terecht als No. 242904 Pte. Henry Hughes, de 27 jaar oude zoon van John Charles en Ellen Hughes, uit Sheffield.

Melkerijstraat tot het einde, rechts (Zweerdstraat), aan T-kruising rechts, aan het einde links (Bellestraat, wordt Vlamertingseweg aan grens Ieper-Poperinge), volg deze weg tot Ouderdom, stop aan Grootebeek British Cemetery.

Melkerijstraat tot het einde, rechts (Zweerdstraat), aan T-krusing links (Torreelstraat wordt Kwakkelstraat aan grens Ieper-Poperinge), eerste rechts (Kemmelseweg) tot Ouderdom, links (Vlamertingseweg), stop aan Grootebeek British Cemetery.

7 Grootebeek British Cemetery

Special memorial soldaat J. Lynn, VC

Op het gehucht Ouderdom, ontsnapte het voormalige brouwershuis(Vlamertingseweg 29) grotendeels aan het oorlogsgeweld. Dat was niet zo voor de brouwerij zelf er naast, die volledig werd vernietigd en niet meer heropgebouwd. Het huis van de brouwer werd als hoofdkwartier voor brigades of divisies gebruikt. Het was ook hier dat soldaat George Roe, een van de slachtoffers van Dickebusch Huts, voor de krijgsraad kwam.

Het Grootebeek British Cemetery ligt op een eilandje in de Grote (Kemmel) Beek. De meeste graven dateren van 1918, maar enkele behoren aan slachtoffers van de Tweede Slag bij Ieper, uit april en mei 1915. Er is een klein vak met zeven Indische soldaten uit de Lahore Division, die na de eerste gasaanval kort in Ouderdom waren gelegerd. Het register vermeldt dat ze allen stierven aan hun verwondingen, op dat moment in de oorlog betekende dat meestal: gas.

Er is nog een grafsteen op de begraafplaats die aan gas herinnert: het special memorial voor Pte. J. Lynn, VC, DCM, 2 Lancashire Fusiliers. John

been executed for running away during a gas attack.

This soldier, 21-year-old Pte.Herbert Chase, was only one of a number of Lancashire Fusiliers who had taken refuge from the deadly fumes. The fact that he was still serving a suspended sentence for the same offence will surely have influenced the decision to select him for a FGCM to make an example of him.

Continue along Vlamertingseweg to Reningelst. Keep going in the direction of Loker (N 373) to 'Kasteelmolen'.

Continue along Vlamertingseweg, take second left into Diepestraat, go straight ahead at crossroads. Continue through Diepestraat to the top at 'Kasteelmolen'.

IWM

(left) Sikh soldiers of the Lahore Division at rest along the Grote Beek at Ouderdom, May 1915. (below) Bullet holes in a wall of St. Sixtus Abbey, West-Vleteren, (not on our route) indicate the spot where Pte. Herbert Chase was shot on 12 June 1915. (right) The high bank on the Loker–Reningelst road at Kasteelmolen, against which Pte. Frederick Loader was executed.

(hierboven) Sikh-soldaten uit de Lahore Divisie, langs de Grote Beek, Ouderdom, mei 1915. (rechts) Kogelgaten in een muur van de St.-Sixtusabdij te West-Vleteren, (niet op onze route) geven de plaats aan waar soldaat Herbert Chase werd terechtgesteld op 12 juni 1915. (uiterst rechts) Kasteelmolen, de hoge kant van de weg Loker–Reningelst waartegen soldaat Frederick Loader werd geëxecuteerd.

Lynn, die 27 werd, kreeg op 15 juni 1915 postuum het Victoria Cross. Hij had zich bijzonder dapper getoond tijdens een gasaanval bij Shell Trap Farm op 2 mei 1915, tot het gas hem had overmand. Drie dagen vóór deze eer de Lancashire Fusiliers te beurt viel, werd een soldaat uit dezelfde eenheid geëxecuteerd omdat hij tijdens een gasaanval was weggelopen.

De 21-jarige soldaat Herbert Chase, was maar één van een groot aantal Lancashire Fusiliers die voor de stikgassen waren gaan lopen. Maar het feit dat hij al eens eerder was veroordeeld droeg er zeker toe bij dat hij werd geselecteerd om als voorbeeld voor de krijgsraad te dienen.

IFFM

8 Kasteelmolen

Execution of Loader

In the preparations for the Flanders offensive of 1917, the village of Reningelst became one of the busiest areas behind the Ypres frontlines. From the autumn of 1916 onwards three to four divisions had their headquarters and rest camps here at the same time. Among them were two London divisions, the 41 at Zevekote, 47 in the village centre and towards Busseboom.

By the early summer of 1917, some 50,000 British troops were stationed here. They would find entertainment in the countless estaminets, or at the major YMCA facilities near Zevekote, which boasted a canteen, cinema, library, concert tent and even a boxing ring.

One of the biggest camps, the 'Ontario Group of Camps', spread out over the slopes of 'Kasteelmolen' copse. During the German Spring Offensive in April 1918 the windmill at the top was destroyed. A couple of years earlier, King George V had reviewed Canadian forces there in August 1916.

On the exact spot where senior Canadian officers stood to await their king, Pte. Frederick Loader, 1/22 Bn. The London Regt.(47 Div.), was shot at 4.40 a.m. on 19 August 1917. Loader was an outcast in the battalion, bullied and scared. The shooting was witnessed by a couple of Reningelst schoolboys, who later explained that the convicted man was put against the high bank on the Reningelst–Loker road, so that if any of the firing squad fired wide they would not injure any bystanders.

Continue along N373, turn left at the end and immediately right into N375 to Loker. Stop at Loker church.

Return into Diepestraat, take first right into Westerse Clyttestraat, then straight ahead at crossroads. Continue into Kasteelmolenstraat, turn right into Zandberg. Cross N375 into Scherpenbergweg, turn right at end into

---

Ga verder langs de Vlamertingseweg tot Reningelst, verder in de richting van Loker (N 373) tot helling 'Kasteelmolen'.

Ga verder langs de Vlamertingseweg, tweede links (Diepestraat), rechtdoor bij kruispunt. Diepestraat volgen tot de top van 'Kasteelmolen'.

---

8 Kasteelmolen

De executie van soldaat Loader

Tijdens de voorbereidingen op het Flanders Offensive van de zomer van 1917, werd Reningelst een van de drukste centra in het hinterland van de Ieperboog. Vanaf de herfst van 1916 verbleven hier voortdurend drie of vier divisies die hier hun hoofdkwartieren en rustkampen installeerden. Daarbij waren twee Londense divisies, de 41ste bij Zevekote en de 47ste aan het dorpsplein en bij Busseboom.

Tegen de lente van 1917 waren hier voortdurend ongeveer 50.000 manschappen gestationeerd. Ze vonden verstrooiing in de talrijke

T Capoen

estaminets of in het grote complex van de YMCA aan Zevekote. Daar vond je naast een kantine ook een bioscoop, een bibliotheek, een concerttent en zelfs een boxring.

Een van de grootste kampen was de 'Ontario Group of Camps', die zich uitstrekte op de flanken van de Kasteelmolenhelling. Tijdens het Duitse Lenteoffensief van april 1918 werd de molen op de top vernietigd. Bijna twee jaar eerder, in augustus 1916, schouwde de Britse koning

Kalissestraat and left at end into N375 to Loker. Stop at Loker church.

---

9 Loker churchyard

Graves of Byers, Evans and Collins

Sheltered by Kemmel Hill, Loker (or Locre as it was spelled then) was, until the German offensive of April, 1918, a quiet village in the rest areas of the Kemmel-Wijtschate front. Then it was flattened; at the Armistice a little wooden sign bearing the word 'Locre' was all that remained of it.

By Christmas 1914, the headquarters of the 3 Division was based here. This was the only British division in Belgium that did not take part in 'the nonsense' of the 1914 Christmas truces.

Pte. Joseph Byers, a 19-year-old volunteer who had arrived in December as part of the reinforcements for 1 Bn. Royal Scots Fusiliers, had wandered off in the early part of 1915, and had stayed away for ten days. He was then arrested by a French guard patrol. On 30 January, Byers was charged with attempting to desert and tried by FGCM at Loker. He received no assistance in preparing his defence, and pleaded guilty. His plea was accepted by the court, which promptly sentenced him to death.

On the same day, in a separate trial by the same court, Pte. Andrew Evans, aged 41, a pre-war soldier in the same battalion, who had attempted to escape to Rouen, was also found guilty of desertion. Byers and Evans were shot together, at the back of the Six family farm (now Dikkebusweg 156).

On the same spot, nine days later, a third execution took place. Pte. George Collins of 1 Lincolnshire Rgt (9 Bde.) had escaped to Paris. He had become hopelessly drunk, he told the court, and did not remember how he got there. The court wasted no time in finding him guilty of desertion. He was shot on 15 February 1915 at 7.30 a.m.

These three shootings were witnessed by several members of the Six family, who at the time all lived on the farm. Mr Firmin Six

George V hier de Canadese troepen.

Op exact dezelfde plek waar de Canadese stafofficieren hun vorst opwachtten, werd soldaat Frederick Loader, 1/22 Bn. The London Regt.(47 Div.), op 19 augustus 1917 om 4.40 in de ochtend geëxecuteerd. Loader was een paria in zijn bataljon, hij werd gepest en was doodsbang. De executie werd bijgewoond door een paar schooljongens uit Reningelst die later vertelden dat de ter doodveroordeelde tegen de hoge kant van de weg werd gezet, zodat kogels die hem eventueel misten niemand anders hadden kunnen verwonden.

Verder langs N373, op het einde links en onmiddellijk rechts (N375) naar Loker, stoppen aan de kerk.

Terugkeren in de Diepestraat, eerste rechts (Westerse Clyttestraat) rechtdoor aan kruispunt (Kasteelmolenstraat), eerste rechts (Zandberg). N375 dwarsen (Scherpenbergweg), tot het einde, rechts (Kalissestraat) tot het einde, links (N375) naar Loker, stoppen aan de kerk.

---

9 Loker churchyard

De graven van soldaten Byers, Evans en Collins

Tot aan het grote offensief van april 1918, was Loker een relatief stil dorp in de bescherming van de Kemmelberg, achter het front Kemmel-Wijtschate. Toen werd het met de grond gelijkgemaakt. Op Wapenstilstand bleef alleen een bordje 'LOCRE' over.

In de kersttijd van 1914 had de 3de Divisie hier zijn basis. Dit was de enige Britse divisie in België die niet deelnam aan 'de nonsens' van de Kerstbestanden. Soldaat Joseph Byers, een 19 jaar jonge vrijwilliger kwam hier in december als versterking aan voor het 1ste bataljon Royal Scots Fusiliers. In de eerste dagen van 1915 verliet hij het bataljon en bleef tien dagen weg, tot hij werd gearresteerd door een Franse patrouille. Op 30 januari werd Byers van poging tot desertie beschuldigd en te Loker voor een krijgsraad gedaagd. Hij kreeg geen bijstand om een verdediging voor te bereiden en pleitte schuldig. Het hof aanvaardde en daarmee tekende Byers meteen zijn doodvonnis.

relates that the family was very shocked by what they saw, and for many years afterwards would tell the story to anyone who would listen. In the case of Byers and Evans, a British eye-witness of the execution claimed that the firing squad at first did not want to execute the younger soldier, and deliberately fired wide, but still managed to wound him. A second volley was ordered by the commanding officer to put an end to his agony.

It seems likely that all three men were buried as close to their execution as possible, and, since the Six farm is only 150m from Loker church, they were laid to rest at the entrance to the military plot in the churchyard (Plot I, Row A, Graves 1 & 2, Row B, Grave 1).

Pass the church, turn left into Kemmelbergweg and first right into Godtschalckstraat. Locre Hospice Cemetery is on your right.

Pass the church, turn left into Kemmelbergweg and first right into Godtschalckstraat. Locre Hospice Cemetery is on your right.

(below) A name on a road sign was all that was left of Loker after the Spring Offensive of 1918. (bottom) Major General Aylmer Haldane, under whose command 13 executions were carried out in the 3 Division.

Op dezelfde dag maar in een verschillende zitting veroordeelde de krijgsraad te Loker Andrew Evans, een 41 jaar oude veteraan uit hetzelfde bataljon. Hij werd aangehouden op de weg van Poperinge naar West-Vleteren. Byers en Evans werden samen terechtgesteld aan de achterkant van de hoeve Six (nu Dikkebusweg 156). Op dezelfde plek werd negen dagen later ook soldaat George Collins van het 1ste Lincolnshire (9de Brigade), gefusilleerd. Collins was vanuit Westouter in Parijs verzeild. Hij was vreselijk dronken geweest, vertelde hij aan het hof, en kon zich niet meer herinneren hoe hij zover gekomen was. Het hof verspilde weinig tijd aan zijn veroordeling. Collins werd gefusilleerd op 15 februari 1915 om 7.30 's morgens.

Verschillende leden van de familie Six die op de hoeve woonden, waren getuige van de drie executies. Firmin Six vertelde hoe zijn moeder en de hele familie geschokt waren door deze gebeurtenissen en dikwijls het verhaal vertelden aan al wie het horen wilde. In de schietpartij van Byers en Evans, zo vertelt een Britse ooggetuige, wilde het vuurpeloton de jonge Byers eerst niet doden, ze vuurden vrijwillig boven hem. De officier

(bovenaan) Een naam op een bord was alles wat overbleef van Loker na het Lenteoffensief van 1918. (onderaan) Generaal majoor Aylmer Haldane, onder wiens bevel 13 executies plaatshadden in de 3de Divisie.

10 Locre Hospice Cemetery

Graves of Blakemore and Jones Execution of Roberts

Three more death sentences were carried out at Loker during the war. The first was that of Pte. William Roberts, 4 Royal Fusiliers, who was shot 'in the field' on 29 May 1916, at 3.45 a.m., and is now buried at Bailleul Communal Cemetery Extension (Plot II, Row B, Grave 110). He had been tried in Loker nine days earlier. According to his CO, William Roberts had been 'a good and plucky soldier' until he was wounded during the attack on Bellewaerde Ridge on 16 June 1915. After that, he made various attempts to desert, received a death sentence that was commuted to imprisonment, and was later arrested and escaped twice – at Brandhoek and Poperinge. The fact that he 'had been much troubled' by his head injury was of no concern to the court.

The second deserter, Pte. Denis Blakemore, 8 North Staffordshire Regiment, age 28, received the death sentence for running away when his battalion was going into the line for the major assault on the Messines Ridge, on 7 June 1917. He had already been sentenced to death previously for desertion on – on 25 May 1917, but this was commuted to 15 years' penal servitude, then suspended on 4 June. He was executed in Loker at 4.30 a.m. on 9 July by a firing squad under the command of Captain D.C.H. Chisholm, APM 19 Division. (Locre Hospice Cemetery, Plot I, Row A, Grave 22).

The third man to be executed and buried here was Pte. William Jones, 9 Royal Welch Fusiliers. This Welshman was yet another soldier who had started out well, but broke under the strain of trench warfare, and was therefore considered 'useless'. Jones – 'a good soldier until after the Somme' – had been reported missing on 16 June 1917 when he was seen carrying a wounded man along a trench.

He told his court martial that he had been wounded (but could not say how) while helping the casualty, and put on an ambulance train that took him back to Britain. Very few

gaf het bevel tot een tweede salvo om de veroordeelde uit zijn bange wachten te verlossen.

De drie mannen werden zo dicht mogelijk begraven bij de plaats van executie. Vermits de kerk maar op 150 meter van de hoeve ligt, is het logisch dat we hun graven vinden helemaal vooraan op het (oudste) militaire vak van het kerkhof (Vak I, Rij A, Graven 1 & 2, Rij B, Graf 1).

Links voorbij de kerk (Kemmelbergweg), eerste rechts (Godtschalckstraat) tot aan het Locre Hospice Cemetery.

Links voorbij de kerk (Kemmelbergweg), eerste rechts (Godtschalckstraat) tot aan het Locre Hospice Cemetery.

---

10 Locre Hospice Cemetery

De graven van soldaten Blakemore en Jones. De executie van soldaat Roberts

Er werden nog drie executies uitgevoerd in Loker tijdens de Grote Oorlog. De eerste was die van soldaat William Roberts, 4 Royal Fusiliers, die 'in het veld' werd terechtgesteld op 29 mei 1916 om 3.45 's morgens. Hij werd begraven op Bailleul Communal Cemetery Extension (Vak II, Rij B, Graf 110). Negen dagen voordien was hij in Loker ter dood veroordeeld. William Roberts was 'een goede en kranige soldaat' (de woorden van zijn CO) tot hij tijdens de aanval op Bellewaerde Ridge op 16 juni 1915 gewond raakte. Nadien probeerde hij herhaaldelijk te deserteren, kreeg de doodstraf die vervolgens werd omgezet, en ontsnapte nog twee keer uit hechtenis – in Brandhoek en Poperinge. Het feit dat hij beweerde 'veel last te hebben van zijn hoofdwonde' was van geen betekenis voor de krijgsraad.

De tweede deserteur, soldaat Denis Blakemore, 8 North Staffordshire Regiment, 28 jaar, kreeg de doodstraf omdat hij was weggelopen terwijl zijn bataljon opmarcheerde naar het front voor de grote aanval op de Messines Ridge op 7 juni 1917. Hij was eerder al ter dood veroordeeld voor desertie op 25 mei 1917. Die straf werd omgezet in 15 jaar dwangarbeid en op 4 juni opgeschort. Blakemore werd geëxecuteerd te Loker op 9 juli om 4.30 u. door een vuurpeloton aangevoerd door Captain D.C.H. Chisholm, APM 19 Division. (Locre Hospice Cemetery, Vak I, Rij A,

Locre Hospice Cemetery where Ptes. Denis Blakemore and William Jones are buried.

T Capoen

deserters were successful in reaching England, yet once there he surrendered voluntarily to the Military Police, in Bristol, on 4 September 1917. He was brought back to his unit at Kemmel Shelters, and later tried at Rossignol Camp, along the Kemmel-Ieper road, on 28 September 1917. When the court found out that he was already serving a suspended death sentence for desertion, he was sentenced to death for the second time. He was executed on 25 October 1917 at 6.25 a.m. in Loker by APM 19 Division. (Locre Hospice Cemetery. Plot I, Row C, Grave 4).

Return to Loker church, then go back along the N375, taking the third left onto the N315 to Westouter. Stop at the church.

Return to Loker church, then go back along the N375. Turn first left and immediately right into Hellgatstraat. Go straight over the Rodeberg road, continuing along Hellegatstraat to Westouter. Stop at the church.

Locre Hospice Cemetery waar de soldaten Denis Blakemore en William Jones werden begraven.

Graf 22).

De derde man die hier werd gedood en begraven was soldaat William Jones, 9 Royal Welch Fusiliers. Deze Welshman was een ander voorbeeld van een soldaat die goed was begonnen maar uiteindelijk bezweek onder de spanningen van de loopgravenoorlog, en die dan maar 'onbruikbaar' werd verklaard. Jones – 'een goed soldaat tot na de Somme' – werd als vermist opgegeven op 16 juni 1917, nadat men hem een gewonde had zien wegbrengen.

Hij vertelde het hof hoe hij zelf ook werd gewond (al kon hij geen verdere details geven) terwijl hij de gewonde had geholpen, en mee op de ambulancetrein werd geplaatst die hen naar Groot-Brittannië terugbracht. Slechts zeer weinig deserteurs slaagden erin Engeland te bereiken. Jones die daar wel was in geslaagd, gaf zichzelf over aan de militaire politie in Bristol op 4 september 1917. Hij werd teruggestuurd naar zijn eenheid bij Kemmel Shelters, en nadien in Rossignol Camp, langs de weg Kemmel-Ieper voor een krijgsraad gebracht. Toen het hof ontdekte dat hij al onder een opgeschorte doodstraf diende, werd hij een tweede maal ter dood veroordeeld. Jones werd op 25 oktober 1917 geëxecuteerd om 6.25 u. door de APM 19 Division. (Locre Hospice Cemetery. Vak I, Rij C, Graf 4).

Terug naar de kerk van Loker, terug langs N375, vierde links (N315) naar Westouter. Stoppen aan de kerk.

Terug naar de kerk van Loker, terug langs N375, tweede links en onmiddellijk rechts (Hellegatstraat), aan kruispunt rechtdoor, en verder langs Hellegatstraat tot Westouter. Stoppen aan de kerk.

Westouter

De executie van Servaas Dauchy

Tijdens de Duitse opmars door België in augustus en september 1914 werden veel terreurdaden gepleegd tegen de burgerbevolking. In Vizé, Dinant, Aarschot en Leuven – om maar enkele

11 Westouter churchyard gate

Execution of Dauchy

During the German advance through Belgium in August and September 1914, many acts of terror were committed against civilians. At many places, including Vizé, Dinant, Aarschot and Leuven, hundreds of innocent people were executed in retaliation for alleged crimes by hidden snipers – supposedly civilians or soldiers of the Belgian Army in disguise – the so-called *franc tireurs*. By the time the war reached the Westhoek, the local population had heard rumours about the summary executions.

The locals especially feared the cavalry units of the Uhlans. And with good reason. On 4 October, at Pont-Rouge (Warneton), a group of 600 Uhlans had been fired at by a French patrol. The Uhlans fled, but soon came back, accusing the civilians of being responsible for the shots. They executed on the spot Mr. Volbrecht, one of the hamlet's leading residents.

The following day, the same troop passed through Loker. At Rodeberg, they arrested Servaas Dauchy, the local policeman, and a farmer called Lagache. The Belgian police and Civil Guards had long been under orders to shed their uniforms and arms, to avoid provoking the arriving enemy troops. Under his jacket, Dauchy was still wearing the waistcoat of the Belgian Garde Champêtre. He was searched, and his service revolver found in his pocket. The Uhlans dragged both men with them to Westouter. There they tied Dauchy to the fence of the churchyard, and executed him on the spot. The terrified farmer was released.

The local community was deeply shocked by the event. When, a year later, there was an anniversary mass for Dauchy, the Commanding Officer, 2 Canadian Division, who at the time had his HQ at Westouter, sent a representative. The family and the mayor in return expressed their feelings of infinite gratitude for this courtesy.

plaatsen te noemen – werden honderden onschuldigen standrechterlijk geëxecuteerd, als vergelding tegen vermeende oorlogsmisdaden van verborgen scherpschutters. Deze zogenaamde franc tireurs konden volgens de Duitsers zowel burgers zijn, als Belgische soldaten in vermomming. Tegen de tijd dat de oorlog de Westhoek bereikte waren de geruchten over deze Duitse vergeldingsacties de legers al vooruitgesneld.

De lokale bevolking had vooral schrik van de cavalerie-eenheden van de Uhlanen. Terecht. Op 4 oktober bij Pont-Rouge (Waasten), had een Franse patrouille het vuur geopend op een groep van 600 Uhlanen. De Duitsers vluchtten maar kwamen snel terug, en beschuldigden de burgers dat ze hadden geschoten. Meteen executeerden ze Mr. Volbrecht, een van de notabelen van het gehucht.

De volgende dag trok dezelfde troep door Loker. Op de Rodeberg arresteerden ze Servaas Dauchy, de plaatselijke veldwachter en een boer Lagache. De Belgische politie en burgerwacht had allang het bevel gekregen om hun uniformen en wapens af te leggen om de aankomende vijandelijke troepen niet uit te dagen. Onder zijn jas droeg Servaas Dauchy nog altijd het ondervest van zijn uniform, met blinkende knopen. Hij werd gefouilleerd en men vond zijn dienstwapen. Beide mannen werden door de Uhlanen meegesleept tot het centrum van Westouter. Dauchy werd er tegen het hekken van het kerkhof vastgebonden en doodgeschoten. De doodsbange boer werd losgelaten.

Het hele dorp was geschokt door het gebeuren. Toen een jaar later een gedachtenismis werd opgedragen voor Dauchy, stuurde de bevelhebber van de 2de Canadese Divisie die in Westouter verbleef, een vertegenwoordiger. De familie en de burgemeester drukten in een brief hierover hun grote gevoelens van dankbaarheid uit.

Voorbij de kerk de richting Poperinge en Reningelst volgen (Poperingestraat – N 315). Stoppen aan het Westoutre British Cemetery.

Voorbij de kerk de richting Poperinge en Reningelst volgen (Poperingestraat – N 315). Stoppen aan het Westoutre British Cemetery.

Go round the church towards Poperinge and Reningelst, then along Poperingestraat (N315) to Westoutre British Cemetery.

Go round the church towards Poperinge and Reningelst, then along Poperingestraat (N315) to Westoutre British Cemetery.

12 Westoutre Military Cemetery

Wu En Lu, Zhang Zhide, Zhang Hongan shot by British soldiers

Westouter was spared further scenes of execution. However, three members of the Chinese Labour Corps, who were killed by bullets from their own side on Christmas Day 1917, are buried in Westouter British Cemetry. On this perfect white Christmas

Hugo Lefebre

(right) Belgian policeman Servaas Dauchy was shot by German Uhlans against the Westouter churchyard railings (below right).

(boven rechts) De veldwachter Servaas Dauchy werd neergeschoten door Duitse Uhlanen tegen het hek van het kerkhof van Westouter (rechts).

12 Westoutre Military Cemetery

Drie Chinese arbeiders neergeschoten op Kerstdag 1917

Westouter bleef gespaard van verdere executies. Hoewel, op deze begraafplaats zien we de graven van drie leden van het Chinese Labour Corps die door kogels 'uit eigen rangen' werden gedood. Op de perfecte witte kerst van 1917 waren de Chinese arbeiders in hun kamp in Reningelst rusteloos geworden. Ze doodden een van hun eigen voormannen, vochten onder elkaar, waarbij nog een man stierf en kregen het aan de stok met o.a. troepen uit Nieuw-Zeeland. Om een einde te maken aan deze 'opstand' of 'muiterij' in het 'Tsjingkamp' (Captain J.C. Dunn, Medical Officer van 2 RWF hoorde deze termen), werd een halve compagnie van de Royal Welch Fusiliers vanuit Poperinge aangerukt.

Wat daarop volgde is niet geheel duidelijk.

T Capoen

morning the Chinese labourers (Coolies) at Reningelst had become restless. They killed one of their own foremen, quarrelled among themselves, killing yet another man, and had fights with soldiers from New Zealand. To call a halt to the 'mutiny' or 'insurrection' in the 'Chink Camp' (the words were heard on the day by Captain J.C. Dunn, Medical Officer 2 RWF), half a company of the Royal Welch Fusiliers was sent down from Poperinge.

What followed is not entirely clear. Achiel Van Walleghem claims that three Chinese labourers were executed at Mont Noir, Captain Dunn says that the men of the RWF arrived too late, and order had been restored by the time they got to Reningelst. A report of IXth Corps stated 'three (were) shot, and about nine wounded, by rifle fire.'

The Chinese graves confirm the number of dead and the location of the action. Five Chinese labourers died on 25 December 1917. Two were originally buried in Reningelst Chinese Cemetery (Coolies No.19665 Su Fengshan and No. 29009, no name registered), probably the foreman and the other man who were killed by fellow Chinese. (Reningelst Chinese Cemetery was closed down after the war. It had only thiry-two graves, which were concentrated in Bailleul Communal Cemetery Extension.)

The three victims shot by British soldiers at Mont Noir are buried in Westouter British Cemetery: CLC No.43913 Wu En Lu, CLC No. 43804 Zhang Zhide, and CLC No.39540 Zhang Hongan (Row BB, Graves 1, 2, 3).

Continue along N315 to Reningelst. Stop on Reningelstplein at 'Kasteelweide', the meadow to the right of the church.

Return along N315 in the direction of Westouter, take first left, then rejoin N315 to Reningelst. Stop on Reningelstplein at 'Kasteelweide', the meadow to the right of the church.

Entrance to 'Pekin Camp', the Chinese Labour Corps at Reningelst.

Volgens Achiel Van Walleghem werden drie Chinezen geëxecuteerd op de Zwarte Berg. Captain Dunn schrijft dat de manschappen van de RWF te laat kwamen, dat de rust al was teruggekeerd tegen de tijd dat zij in Reningelst aankwamen. Een rapport van het IXde Corps verklaart echter: 'drie [werden] neergeschoten, en ongeveer negen verwond door geweerkogels.' De Chinese graven bevestigen zowel het aantal doden als de locaties van het gebeuren.

In totaal vijf Chinese arbeiders stierven een gewelddadige dood op 25 december 1917. Twee werden oorspronkelijk begraven in het Reninghelst Chinese Cemetery (arbeiders Nr.19665 Su Fengshan en No. 29009, zonder geregistreerde naam), waarschijnlijk de voorman en de andere die werden gedood door hun eigen landgenoten. Het Reninghelst Chinese Cemetery werd gesloten na de oorlog. Er waren maar 32 graven en die werden ondergebracht op de concentratiebegraafplaats Bailleul Communal Cemetery Extension.

De drie andere slachtoffers, doodgeschoten door Britse troepen bij de Zwarte Berg, werden begraven in het Westoutre British Cemetery: CLC

De ingang van het CLC kamp 'Pekin Camp' te Reningelst.

13 Reningelst

Execution of Smith
Alleged shooting of unknown Australian soldier

Of all the fighting armies in the First World War, only the Australian Imperial Force did not carry out the death sentence. Apparently they did not need examples 'pour encourager les autres' – the A.I.F.'s fighting record was at least as good as anybody else's. However, Achiel Van Walleghem stated on 24 September 1916: 'In the meadows in front of the house of the mayor of Reningelst, there is a large camp for Australian prisoners. Yesterday, an Australian was shot dead through the head for having deserted from the trenches on three occasions.' There are more rumours of such summary executions without trial, but, of course, it would be very hard to find any documents to confirm this.

In the weeks before the great Flanders offensive on 31 July 1917, more and more troops arrived in the area. One of the new units in Reningelst was 25 Division. On 30 July the men of 10 Cheshires (7 Bde./25 Div.) prepared to move from their Reningelst rest camp into the line. They included 33-year-old Pte. Ernest Bryant who was awaiting an FGCM accused of having deserted on 17 May at Setques. The 33-year old Bryant had been arrested on 5 July in Boulogne and was held there until he was sent to his battalion on 21 July. The battalion CO, Lieutenant-Colonel A. C. Johnston, warned Bryant that the battalion would go into the attack in the next day or two.

At roll call that night, it was found that Bryant had gone absent again. He was arrested in the Grand Place in Bailleul on the 8 August. When he was finally court-martialled, Bryant faced two charges of desertion, was found guilty of both and sentenced to death. From Bryant's defence, we learn that he had been a good soldier from January to 29 July 1916, when he was wounded in both arms and legs. After he was sent back to the front in February 1917, he

---

Nr.43913 Wu En Lu, CLC Nr. 43804 Zhang Zhide, en CLC Nr.39540 Zhang Hongan (Rij BB, Graven 1,2, 3)

Verder langs N315 tot Reningelst. Stoppen op het Reningelstplein aan de 'Kasteelweide', rechts van de kerk.

Terug langs N315 naar Westouter, eerste links (Meersstraat) volgen tot opnieuw N315 wordt bereikt. Rechts naar Reningelst. Stoppen op het Reningelstplein aan de 'Kasteelweide', rechts van de kerk.

---

13 Reningelst, 'Kasteelweide'

De weide naast de kerk waar soldaat William Smith werd gefusilleerd en een Australisch soldaat standrechterlijk werd geëxecuteerd

Van alle legers die vochten in de Eerste Wereldoorlog was er enkel de A.I.F., Australian Imperial Forces, die de doodstraf weigerden uit te voeren. Kennelijk hadden zij geen nood aan voorbeelden 'pour encourager les autres' – de staat van dienst van de A.I.F. was niettemin minstens evengoed als die van anderen. En toch schrijft Achiel Van Walleghem op 24 September 1916: 'In de weide voor 't huis van de burgemeester van Reninghelst is er een groot kamp van Australiaansche gevangenen. Gisteren wierd een Australiër door den kop geschoten omdat hij reeds 3 maal weggevlucht was uit de tranchées.' Er zijn wel meer geruchten over dergelijke executies zonder vorm van proces, maar geschreven bewijzen hiervoor vinden is quasi onmogelijk. Van Walleghem is een uiterst betrouwbare bron.

In de weken die aan het grote Flanders Offensive van 31 juli 1917 voorafgingen, kwamen meer en meer troepen aan. Een van de nieuwe divisies in Reningelst was de 25ste. Op 30 juli maakten de mannen van het 10de Cheshires (7 Bde./25 Div.) zich klaar om van hun rustkamp op te trekken naar de frontlijn. Hun commandant, Lieutenant-Colonel A.C.Johnston, liet soldaat Ernest Bryant bij zich roepen. Bryant wachtte op een krijgsraad voor een desertie op 17 mei bij Setques. De 33 jaar oude Bryant was gearresteerd in Boulogne op 5 juli en bleef daar tot hij op 21 juli werd teruggestuurd naar zijn bataljon. Daar

The half-destroyed centre of Reningelst in July 1918.

wachtte hij op zijn proces. Kolonel Johnston vertelde Bryant dat hij zich klaar moest maken om in de eerstvolgende dagen met het bataljon mee op te trekken.

Op het appel die avond, ontbrak Bryant andermaal. Hij werd op de Grand-Place in Bailleul gearresteerd op 8 augustus. De krijgsraad te velde behandelde nu twee pogingen tot desertie en vond hem in beide gevallen schuldig. Uit Bryants verdediging leren we dat hij een goede soldaat was geweest van januari tot 29 juli 1916, toen hij aan beide armen en benen zwaargewond werd. Toen hij in februari 1917 naar het front werd teruggestuurd, ondervond hij dat zijn 'zenuwen het hadden begeven'. Hij zei ook: 'Ik heb vreselijk veel last van mijn hoofd.' Ernest Bryant werd geëxecuteerd in Béthune op 27 oktober 1917, en ligt begraven in het Béthune Town Cemetery.

Tengevolge van het heel drukke verkeer van troepen en materieel aan de kerk van Reningelst in 1917, stond hier altijd 'verkeerswachten' om het verkeer te leiden. Een groot aantal 'dolenden' werd door dergelijke wachters opgepakt. Langs de weg naar Abele werden de soldaten Everill en Fryer gearresteerd. Hetzelfde gebeurde met soldaat

De halfverwoeste dorpskern van Reningelst in juli 1918.

Leonard Mitchell aan het kruispunt bij de kerk. Mitchell werd naar zijn eenheid in De Klijte teruggestuurd, er berecht en gefusilleerd op 19 september 1917 (La Clytte Military Cemetery, Vak III, Rij A, Graf 2).

De 66ste (East Lancashire) Divisie werd naar de Salient geroepen als versterking voor de aanval op Passendale op 9 oktober 1917. De avond voor de aanval waren drie soldaten van het 3/5 Lancashire Fusiliers gedeserteerd tijdens een lange mars langs een glibberig knuppelpad. Dat liep van aan hun kamp bij Frezenberg tot aan de 'jump off'-lijn tussen Broodseinde en Passendale. Slechts een van hen, soldaat William Smith, kwam voor een FGCM, op 18 oktober in Briel, bij Winnezeele in Frans-Vlaanderen. Hij werd schuldig bevonden en geëxecuteerd in Reningelst op 14 november 1917 om 6.30u.

De 197ste Brigade was naar Reningelst verhuisd. De executie had plaats terwijl het bataljon aan het front in Zonnebeke was. De fusillade gebeurde aan de achterkant van de

told the court that his 'nerves had given way.' He continued: 'I have been troubled with my head very badly.' Pte. Bryant was executed at Béthune on 27 October 1917, and is buried in the Béthune Town Cemetery.

Because of the very heavy traffic of troops and equipment around Reningelst church in 1917, a traffic warden (yes, that is what they were called) was always positioned there to direct the flow. A great number of 'stragglers' were arrested by such wardens, who were usually military policemen. Along the road to Abele, Ptes. Everill and Fryer were arrested, as was Pte. Leonard Mitchell on 28 August 1917 on the crossroads at the church. Pte. Mitchell was sent back to his unit at De Klijte, sentenced and executed there. (La Clytte Military Cemetery, Plot III, Row A, Grave 2).

The 66 (East Lancashire) Division had been called to the Salient as a reinforcement for the attack on Passchendaele on 9 October. The night before the attack, during a long march along a slippery sleeper track from their camp at Frezenberg to the 'jump off' line between Broodseinde and Passchendaele, three soldiers of 3/5 Lancashire Fusiliers had deserted. Only one, Pte. William Smith, was brought before a FGCM at Briel, a hamlet in Winnezeele (French-Flanders), on 18 October. He was found guilty, and shot in Reningelst on 14 November at 6.30 a.m.

The 197 Brigade had moved to Reningelst, and the execution was organised while the battalion was at the front in Zonnebeke. It took place at the back wall of the girls' school behind the church (Pastoorstraat 4), well in view of a number of witnesses. A 14-year-old farmer's son, André Verdonck, looking from his house, Kasteelhof (Chateau farm), to the other side of the meadows, where the year before the Australians had their detention camp, saw it all happen. Mr. Verdonck also remembered seeing a number of soldiers standing tied to big wheels in the meadows (Field Punishment No 1, known as 'crucifixion').

The ever-present Achiel Van Walleghem said: 'In the morning an English soldier was

meisjesschool achter de kerk (Pastoorstraat 4), in het zicht van een aantal getuigen. André Verdonck, de 14 jaar jonge zoon van het Kasteelhof (aan de overkant van de weide waar het jaar voordien de Australiër was neergeschoten), zag alles gebeuren. Hij herinnerde zich ook dat in dezelfde weide ook enkele soldaten aan grote wagenwielen waren vastgebonden ('kruisiging').

De alomtegenwoordige Achiel Van Walleghem meldde: 'In den nuchtend wordt hier aan den muur van 't klooster een engelsch soldaat gefusilleerd die weigerde naar de tranchées te gaan. Het zijn de eigene maten die daartoe aangesteld worden. Vele soldaten hebben reeds verklaard hoe pijnlijk hen dat valt. Er zijn er die krijschen van spijt.'

William Smith ligt begraven in het Reninghelst New Military Cemetery. 'Died of Wounds,' (bezweken aan verwondingen) staat in het register (Vak IV, Rij B, Graf 28). Zijn hier ook begraven: Frederick Loader (III, B, 14) en Rifleman Robert Barker (II, E, 15).

Voorbij de kerk rechts (Pastoorstraat), eerste links (Kriekstraat), volgen tot kruispunt met Ouderdomseweg, links naar Busseboom. Halt houden aan het kruispunt.

Voorbij de kerk rechts (Pastoorstraat), eerste links (Kriekstraat), volgen tot kruispunt met Ouderdomseweg, rechtdoor, tot het einde volgen, links (Pauperstraat/Lindegoedstraat), links aan kruispunt (St-Pietersstraat), tweede rechts (Busseboomstraat) naar Busseboom.

Achiel Van Walleghem verhuisde naar Reningelst in juni 1916 toen Dikkebus te gevaarlijk werd. Hij woonde bijna twee jaar in bij zijn Reningelstse collega in het huis Pastoorstraat 9. Het gebied van Busseboom en Lindegoed was volgestouwd met rustkampen: Devonshire, Dominion, Scottish, Ottawa en Halifax Lines en Camps werden gebruikt door troepen die terugkwamen van het front ten zuidoosten van Ieper. Het brigadehoofdkwartier was in Busseboom, meestal op een hoeve die Vauxhall werd genoemd (Ouderdomseweg 46).

Aan het kruispunt voor Lindegoed Farm (Busseboomstraat – St-Pietersstraat) werd korporaal Frederick Ives gefusilleerd en begraven

executed at the convent wall for having refused to go to the trenches. The man's own comrades were appointed to do this. Many soldiers have said how painful this is for them. Some of them are crying out with distress.'

William Smith is buried in Reninghelst New Military Cemetery. 'Died of Wounds,' says the register (Plot IV, Row B, Grave 28). Also buried here are Pte. Frederick Loader (III, B, 14) and Rfn. Robert Barker (II, E, 15).

Pass the church, turn right into Pastoorstraat, and first left into Kriekstraat. Continue until crossing with Ouderdomseweg, then turn left for Busseboom.

Pass the church, turn right into Pastoorstraat, then first left into Kriekstraat. Go straight across at Ouderdomseweg, left at end into Pauperstraat/Lindegoedstraat, left at crossroads into St-Pietersstraat, and right into Busseboomstraat for Busseboom.

Achiel Van Walleghem moved to Reningelst in June 1916 when Dikkebus became too dangerous, and lived for almost two years with his Reningelst colleague at Pastoorstraat 9. The area of Busseboom and Lindegoed was crammed with rest camps. Devonshire, Dominion, Scottish, Ottawa and Halifax Lines and Camps were all used by battalions who returned from the front south-east of Ieper for a few days' rest. Brigade HQs were at Busseboom, mostly in a farm called Vauxhall [Ouderdomseweg 46].

At the crossroads at Lindegoed Farm (the junction of Busseboomstraat and St-Pietersstraat) Cpl. Frederick Ives was shot and buried on 22 July 1915. However, in the summer of 1919, his body was re-buried in the concentration cemetery Perth (China Wall) in Zillebeke.

14 Busseboom camp area

Execution of Barker, Moore, and Ives

The 47 (London) Division moved north from the Somme in mid-October 1916. Many more

---

op 22 juli 1915 (zie 5). In de zomer van 1919 werd zijn lichaam herbegraven op de concentratiebegraafplaats Perth (China Wall) in Zillebeke.

14 De kampen bij Busseboom

Waar Ives, Barker en Moore werden gefusilleerd

De 47ste (Londense) Divisie kwam midden oktober 1916 van de Somme naar het Noorden. Vele andere divisies volgden. Ze kwamen naar de Ieper Salient, die op dat ogenblik relatief rustig was, om te bekomen, om nieuwe versterkingen te krijgen en om zich voor te bereiden op de volgende grote klap. Voor de 47ste Divisie was het hoogtijd. De kost van de campagne aan de Somme was bijzonder hoog. de divisie had 296 officieren en 7.475 mannen verloren. En nog hield het doden niet op.

In veel eenheden die hier vanuit het Zuiden aankwamen, bevonden zich soldaten die wachtten op een krijgsraad of een straf voor 'misdrijven' begaan aan de Somme. Een van hen was Rifleman Robert Loveless Barker van de London Rifles (1/6 London Regiment). Hij werd beschuldigd van 'lafheid in het aanschijn van de vijand'. Het doodvonnis was erg omstreden. Tijdens het proces hadden niet minder dan vier getuigen Barker verdedigd. De beschuldigde probeerde aan te tonen dat hij 'maar tijdelijk zijn kalmte had verloren', en alleen maar tijdens een vijandelijk bombardement naar een schuilplaats had gezocht. Major-General Greenly, de nieuwbenoemde bevelhebber van de 47ste Divisie, liet Brigadier-General Hampden van de 140ste Brigade weten dat gezien de 'schitterende strijdlust' van het bataljon, hij vond dat er 'geen voorbeeld nodig was'. Viscount Hampden schreef boos terug dat 'de man een gedegenereerde' was. Daarop gaf Greenly toe. Lieutenant General Pulteney, bevelhebber van III Corps, sprak nu Greenly's tweede oordeel tegen. Gezien 'de mentale toestand van de man en de hoge gevechtskwaliteiten van het 6de London Regiment is geen voorbeeld nodig.' Het oordeel veranderde opnieuw toen Rawlinson, bevelhebber van het Vierde Leger, op zijn beurt Pulteney's oordeel van tafel veegde. Haig confirmeerde de straf op 12 oktober.

divisions were to follow. They came to the salient, at that time a comparatively quiet sector, to rest, to be reinforced and to prepare for the next big offensive. For 47 Division this move was extremely necessary. During the Somme campaign, it had lost 296 officers and 7,475 other ranks. More dead would soon follow.

In many units arriving from the south, there were soldiers were awaiting trial or confirmation of sentence for 'crimes' committed on the Somme battlefront. One of them was Rifleman Robert Loveless Barker of the London Rifles (1/6 London Regiment), who had been accused of 'cowardice in the face of the enemy'. The finding of the court – guilty – was very controversial. During the proceedings, four witnesses had defended Barker. The accused tried to explain that he had 'only temporarily lost his nerve', and had merely looked for shelter during the enemy shelling. In forwarding the court martial papers to Brig.-Gen. Hampden, of 140 Bde. for confirmation of sentence, Greenly, the newly appointed Commander of the 47th, drew attention to the 'splendid fighting spirit' of the battalion, saying he felt therefore that 'no example (was) required'.

Hampden wrote back furiously, calling the soldier 'a degenerate.' At that, Greenly gave in. However, Lt-Gen. Pulteney, commanding 3 Corps, overruled Hampden, considering that in view of 'this man's mental condition, and the high fighting qualities displayed by the 6 London Regt., no example is necessary'. There then came another twist to the saga as General Sir Henry Rawlinson, of the Fourth Army, in turn overruled Pulteney. Haig confirmed the sentence on 12 October.

The execution was finally carried out on 4 November at 6.45 a.m., just after the battalion had settled down in the Busseboom area. But the controversy aroused by the verdict was not yet over. Cyriel Vion, an agricultural labourer who worked for the British Army at the Deweerdt Farm (Vauxhall), later reported that

Hamlet of Busseboom.

T. Capoen

Het gehucht Busseboom.

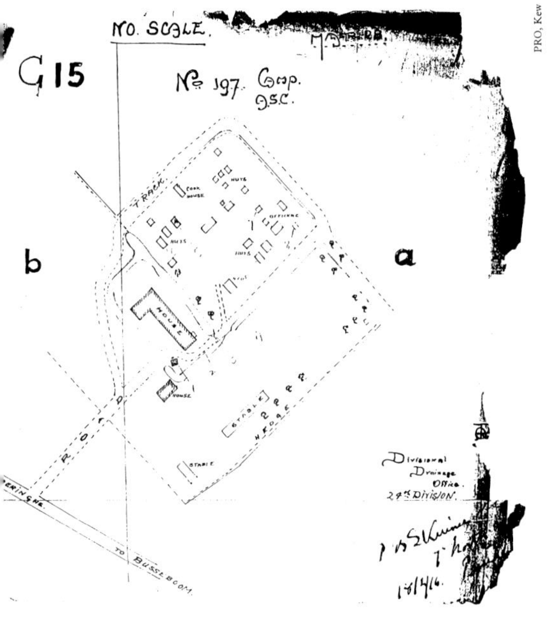

PRO, Kew

he was present at the execution. He claimed that the 12 men of the firing squad refused to shoot, leaving it to their officer to kill Barker with his pistol shot.

According to Vion, the twelve were themselves court martialled. There is no documentary confirmation of this incident, but another local witness, Martha Rosselle, told exactly the same story of a refusal to fire by an execution squad, followed by a 'coup de grace' by the commanding officer.

In the next farm along Ouderdomseweg (No.44, known at the time as Zealand Farm), 197 Field Company of the Army Service Corps was billeted. On 11 February 1916, Driver Thomas Moore of 24 Divisional Train, shot down Acting Farrier Staff Sergeant James Pick. It was late at night, Moore had been drinking, and apparently had not intended to shoot him. Moore was condemned

Plan of Zealand Farm, Busseboom, where Pte. Thomas Moore shot Staff Sergeant James Pick.

Het grondplan van Zealand Farm, Busseboom, waar soldaat Thomas Moore sergeant James Pick neerschoot.

De executie van het vonnis had uiteindelijk plaats op 4 november om 6.45u. 's morgens, kort nadat het bataljon in Busseboom werd gekantonneerd. Maar nog was de controverse over het vonnis niet voorbij. Cyriel Vion, een Vlaamse landarbeider die voor het Britse leger werkte op de hoeve Deweerdt (Vauxhall), vertelde later dat hij aanwezig was bij de executie. Het vuurpeloton van twaalf mannen weigerde te vuren, waarop Barker gedood moest worden door de bevelvoerende officier.

Volgens Vion werden de twaalf zelf voor een krijgsraad gebracht. Tot nu konden wij dit verhaal niet staven met enig bewaard document, maar een andere lokale getuige, Martha Rosselle, vertelde een identiek verhaal over een vuurpeloton dat het bevel tot vuren weigerde op te volgen, waarop de officier zelf het genadeschot afvuurde. Was het van horen zeggen, wishful thinking of waarheid?

In de volgende hoeve langs de Ouderdomseweg (nr. 44, toen bekend als Zealand Farm), was de 197ste Field Company van het Army Service Corps gekantonneerd. Op 11 februari 1916 schoot Driver Thomas Moore van de transporttroepen van de 24ste Divisie, de foerier, stafsergeant James Pick dood. Het gebeurde 's avonds laat en Moore was dronken. Op het proces bleek ook dat hij de verkeerde man had neergeschoten. Hij werd ter dood veroordeeld na een proces dat veel langer duurde dan de meeste andere.

Moore werd op 26 februari 1916 in Devonshire Camp (St.-Pietersstraat 14) geëxecuteerd en ter plekke begraven. Na de oorlog vond de CWGC het graf niet terug, en dus wordt Moore op de Menenpoort herdacht. James Pick ligt begraven in Poperinghe New M.C. (Vak I, Rij F, Graf 12).

Verder langs Ouderdomseweg tot het einde, links (Ringweg R33), aan rotonde rechts (Deken De Bolaan), stoppen aan het Poperinghe New Military Cemetery.

Verder langs Ouderdomseweg, eerste links

to death after a trial that lasted much longer than most.

Moore was executed on 26 February 1916 at Devonshire Camp (St-Pietersstraat 14), and buried on the spot. After the war the CWGC failed to locate the grave, and consequently Moore is commemorated on the Menin Gate. Pick is buried in Poperinghe New Military Cemetery (Plot I, Row F, Grave 12).

Continue along Ouderdomseweg, at the end turn left onto Ring Road, R33. At roundabout turn right into Deken De Bolaan. Stop at Poperinghe New Military Cemetery.

Continue along Ouderdomseweg, take first left into Singel. At the Reningelst–Poperinge road, N304, turn right to Poperinge. Go straight across the roundabout into Deken De Bolaan. Stop at Poperinghe New Military Cemetery.

---

15 Poperinghe New Military Cemetery

Graves of Wilson, Laliberté, Bennett, Botfield, Stevenson, McGeehan, Tite, Simmonds, Poole, Crampton, Fryer, Michael, Stedman, Wall, Everill, Morris, Gore

Poperinghe New Military Cemetery possesses a very macabre record: it holds the graves of more executed men than any other single CWG cemetery. There are 17 in all, with further graves also linked to stories of 'Shot at Dawn'.

At the entrance are nine graves of men of the Coldstream Guards who died on 11 May 1916. That morning 1 Battalion, at rest in Poperinge, was training with new gas masks when a bombardment started. Eight shells fell on the town, one on an archway where a number of the guardsmen stood. Nine were killed instantly, and it is their graves that lie here. Several others were wounded, and two of these died later at the clearing station at Remy

---

(Singel), aan N 304, weg Reningelst – Poperinge, rechts naar Poperinge, aan rotonde rechtdoor (Deken De Bolaan), stoppen aan Poperinghe New Military Cemetery.

---

15 Poperinghe New Military Cemetery

Zeventien graven van geëxecuteerden: 2nd Lt. Poole, Sergeant Wall en de soldaten Wilson, Laliberté, Bennett, Botfield, Stevenson, McGeehan, Tite, Simmonds, Crampton, Fryer, Michael, Stedman, Everill, Morris en Gore

Poperinghe New Military Cemetery is houder van een triest record. Op deze begraafplaats rusten meer geëxecuteerden dan op enige andere begraafplaats van het Commonwealth. Zeventien zijn het er, en nog andere graven verwijzen naar andere gevallen van executie.

Bij de ingang liggen negen mannen van de Coldstream Guards begraven. Ze stierven te Poperinge op 11 mei 1916. Het eerste bataljon op rust in Poperinge, oefende die ochtend met een nieuw type gasmasker toen een bombardement losbarstte. Acht projectielen landden in de stad, waarvan één in het portiek waar de gardesoldaten stonden. Negen werden op slag gedood, en hun graven liggen hier (Vak I, Rij A). Verschillende anderen werden gewond en voor verzorging overgebracht naar het veldhospitaal bij Remy Siding (nu Lijssenthoek British Cemetery). Twee van hen overleden er. (Vak VI: Pte. D. Fletcher en L/Cpl. G. Place.)

Die avond bij het appel, ontbrak soldaat William Phillips. Hij werd berecht, ter dood veroordeeld en geëxecuteerd te Wormhoudt op 30 mei (zijn graf is een van slechts twee soldatengraven op de gemeentelijke begraafplaats). Op het proces werden geen verzachtende omstandigheden ingeroepen; de gebeurtenissen van 11 mei bleven zelfs helemaal onvermeld. Als men zijn strafblad bekijkt, bleek Phillips vooral een alcoholprobleem te hebben. Hij werd 'een slecht element,' genoemd 'zonder enige moed of gevechtskwaliteiten.' Kortom, onwaardig om gardesoldaat te zijn.

Alle graven van soldaten terechtgesteld bij dageraad liggen in Vak II. Ze liggen bijna allemaal ook in chronologische volgorde, d.w.z. van links

Siding, now Lijssenthoek British Cemetery. (Plot VI: Pte. D. Fletcher and L/Cpl. G. Place.)

Pte. William Phillips was missing at the roll call that night. He was tried, condemned to death and shot at Wormhoudt on 30 May (his is one of only two soldiers' graves in the Wormhoudt Communal Cemetery). At his trial no extenuating circumstances were considered – the events of the 11th were not even mentioned. Instead Phillips, who by the look of his offences record had a drink problem, was called 'a bad character, of no courage or fighting characteristics' and therefore unworthy to be a guardsman.

All the graves of those who were shot at dawn are in Plot II. They almost all lie in chronological order, i.e. from left to right, (ascending numbers, across the rows). The first two are Canadians. Pte. James Wilson (H, 2) and Pte. Côme Laliberté (H, 3). On 2 June 1916, the Canadian lines at Mount Sorrel (Zillebeke) were attacked. The Canadians suffered heavy casualties, and were forced to retreat. They regained their trenches by the 16th, but the Canadian Corps had lost approximately 8,000 men, and the senior commanders had become very anxious to restore calm.

In their recommendations to the Commander-in-Chief, these senior oficers claimed that the commutation of death sentences had recently been 'far too prevalent'. They showed no mercy to Côme Laliberté, a French speaking Quebecois in an English-speaking unit who on June 7 had refused to advance; or to James Wilson, a rebellious Irishman who had served a succession of field punishments, after he deserted on 25 May 1916. He subsequently disobeyed an order on 12 June 1916. Laliberté was shot at the APM camp of 1 Canadian Division; Wilson 'in the field'.

Third to be shot was Pte. John Bennett of 1 Hampshires (J, 7), who was sentenced after he panicked and fled during one of the heaviest gas attacks on the Ieper front on 8 August 1916, when at least 358 men died from the effects of a phosgene gas attack on

naar rechts (over de rijen, aldoor stijgende nummers). De eerste twee zijn Canadezen: soldaat James Wilson (H,2) en soldaat Côme Laliberté (H,3). Op 2 juni 1916 werden de Canadese stellingen bij Mount Sorrel (Zillebeke) onverwacht aangevallen. De Canadezen leden zware verliezen, en werden teruggedreven. De verloren loopgraven werden heroverd op 16 juni, maar het Canadese Corps verloor alles samen bijna 8.000 mannen. De bevelhebbers wilden dan ook dat de rust terugkeerde.

In hun aanbevelingen aan de opperbevelhebber opperden ze dat het omzetten van de doodstraf recent veel te frequent was voorgekomen. Dus toonden ze geen begrip voor Côme Laliberté, een Franssprekende Quebecois in een Engelssprekende eenheid, die op 7 juni geweigerd had in de aanval te gaan. Ook niet voor James Wilson, een revolterende Ier die een lange lijst van F.P. No.1 aan het afwerken was toen hij op 25 mei 1916 deserteerde. Hij was ook ongehoorzaam geweest op 12 juni. Laliberté werd gefusilleerd in het kamp van de APM 1ste Canadese Divisie, Wilson 'te velde'.

Derde slachtoffer was soldaat John Bennett

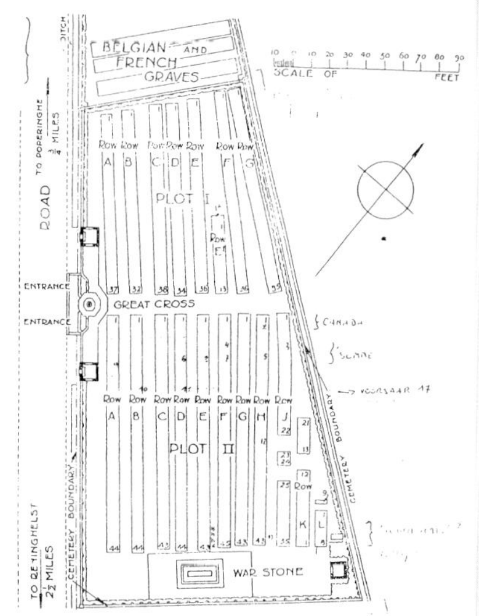

CWGC

(rechts) Poperinghe New Military Cemetery. (hierboven) Het grondplan toont aan dat alle geëxecuteerden in chronologische volgorde werden begraven, van links naar rechts op de begraafplaats.

4 and 29 Divisions. The court recommended that Bennett, who was already serving a suspended sentence for leaving his post, be shown mercy. But the character description by his commander made it clear that Bennett was unreliable and therefore a possible candidate to be used as an example.

'From a fighting point of view the man is absolutely useless,' the officer said. 'It appears that he is more or less all right so long as things are quiet, but as soon as any shelling starts... he goes all to pieces. The man appears to be a very poor type of an individual, and has no stamina in him whatever.'

Brigadier-General Rees, of 11 Brigade, protested against the sentence on the grounds that Bennett did not know what he was doing. But then Lt-Gen. Aylmer Hunter Weston, commander of VIII Corps, reminded his

PRO, Kew

(right) Poperinghe New Military Cemetery. (left) The plan shows that all the executed soldiers were buried in chronological order from left to right in the cemetery.

van het 1ste Hampshires (J,7) die de doodstraf kreeg omdat hij op 8 augustus 1916 in paniek was weggevlucht tijdens een van de hevigste gasaanvallen in de Ieper Salient. Tenminste 358 soldaten van de 4de en 29ste divisies stierven meteen aan de gevolgen van het gas (fosgeen). Het hof gaf een aanbeveling voor gratie, ook al diende Bennett reeds onder een opgeschorte straf. De karakterbeschrijving die zijn bevelhebber van hem gaf, maakte duidelijk dat Bennett volgens hem onbetrouwbaar was en dus een geschikte kandidaat om te dienen als voorbeeld.

'Als je naar gevechtskwaliteiten kijkt is hij absoluut waardeloos,' schreef de officier. 'Het lijkt min of meer goed te gaan zolang alles rustig is, maar zodra er geschut begint slaat hij helemaal door. De man blijkt een heel pover individu, zonder enig doorzettingsvermogen.'

Brigade-generaal Rees, van de 11de Brigade, protesteerde tegen de strafmaat omdat Bennett kennelijk niet wist wat hij deed. Maar dan maakte Luitenant-generaal Aylmer Hunter Weston, bevelhebber van VIII Corps, voor al zijn collega's duidelijk waarom af en toe iemand diende geëxecuteerd te worden. 'De doodstraf is ingesteld opdat de mannen meer schrik zouden hebben om weg te lopen dan van de vijand. In het belang van de Dienst, beveel ik aan dat de doodstraf zou worden uitgevoerd.' John Bennett werd in Poperinge geëxecuteerd op 28 augustus 1916 om 5.40u.

De zes volgende gevallen hebben alle te maken met 'misdrijven' begaan aan de Somme, de executies werden uitgevoerd in Poperinge. Het gaat over de soldaten Albert Botfield (F,7), Richard Stevenson (H,9), Bernard McGeehan (D,9), Reginald Tite (F,9), en William Simmonds (E,9) en over 2nd. Lt. Eric Skeffington Poole (A,11). Van drie van hen, Botfield, Simmonds en Poole, weten we met zekerheid dat ze op de binnenkoer van de stadhuis van Poperinge werden geëxecuteerd.

Onderluitenant Eric Poole was een van slechts drie Britse officieren die tijdens de Eerste Wereldoorlog werden geëxecuteerd. Zijn vergrijp lijkt duidelijk het gevolg van shell shock, van iemand die tijdens beschietingen zijn zelfcontrole verloor. Hij werd ook behandeld voor shell shock. Bovendien getuigden enkele collega's en de bataljonsarts dat hij 'excentriek was... en niet in staat om beslissingen te nemen... mentaal

colleagues why soldiers at some moments had to be executed. 'The death penalty is instituted to make the men fear running away more than fear the enemy. In the interest of the Service, I recommend that the death sentence be carried into execution.' John Bennett was shot at Poperinge on 28 August at 5.40 a.m.

The next six cases all related to 'crimes' carried out on the Somme, but the men were all shot in Poperinge. They are Ptes. Albert Botfield (F, 7), Richard Stevenson (H, 9), Bernard McGeehan (D, 9), Reginald Tite (F, 9), and William Simmonds (E, 9) plus 2nd. Lt. Eric Skeffington Poole (A, 11). There is written evidence that three of them, Botfield, Simmonds and Poole, were shot in the courtyard of the Poperinge town hall.

Second Lt. Poole was one of only three British officers to be executed in the First World War. His case would seem a clear example of shell shock, of someone not in control of his actions under fire. He had already been treated once for shell shock. Furthermore, his fellow officers and the battalion's medical officer testified that 'he was an eccentric... lacking in decision... mentally confused... more liable to shell shock than a normal man.' At the trial his C O also testified: 'I should say he is below average in intellect. He is rather stupid.' Yet a medical board found him sound and capable.

Despite the suggestion of Brigadier-General Lambert to 'send him home... (to be)... usefully employed in instructional duties... not involving a severe strain on the nerves,' 2nd. Lt. Poole was convicted and shot at dawn on 10 December 1916. The epitaph chosen by his familyfor his headstone, reveals some of the tragedy of this death: 'Grant him eternal rest O Lord Jesu Mercy'.

By 1917 there were more executions than ever. Pte. James Crampton (B,14) of York, had deserted in the sector of Plugstreet Wood, only

Second Lieutenant Eric Skeffington Poole, 11th Bn., West Yorkshire Regiment, 10 December 1916.

by kind permission of the relatives

Second Lieutenant Erlc Skeffington Poole, 11th Bn., West Yorkshire Regiment, 10 December 1916.

to be arrested in Armentières three months later. He was examined by a medical board, because he was thought to be 'out of his head'. But the board disagreed – 'there is no evidence that he was of unsound mind when he committed the crime for which he has been tried.' James Crampton (whose name was written as Grampton in all the court martial papers) was executed on 4 February 1917. He was the third man, after Botfield and Poole, in 23 Division to be executed since its arrival in the Ypres Salient.

Pte. John Fryer (D,14), of 12 Surrey Regt., had been a fairground boxer in London before the war. He had wandered off from Vierstraat to Ouderdom on 19 May 1917, following his battalion's return to the front after a month's training in the St-Omer area. He stated that he did not know, or remember, why. A report by the battalion's medical officer, attached to the file, pointed out that Fryer might have suffered from loss of memory, due to injuries during his boxing career. No medical board was called to investigate this possibility. Field-Marshal Douglas Haig was the only one to decide his fate – 'Confirmed, D. Haig F.M., 11 June 17.'

Although 12 Surreys and the remainder of 41 Division had their rest camps in Reningelst, Fryer's execution took place at Poperinge town hall, which had become the executions centre for the whole area. The fatal deed was carried out at 4.05 a.m. on 14 June 1917 by Lieutenant R.A. Breary, a sergeant and a firing squad composed of ten men from Fryer's battalion.

By the time Pte. James Sheriff Michael (H, 24), 10 Cameronians, was shot, the Flanders offensive was well under way, and stuck in the mud. The 20-year-old Glaswegian had gone AWOL on the Arras front at the end of April. He was arrested on 9 May, sent back to his unit and tried on 1 June. What took the Supreme Commander so long to make another 'easy decision' is unclear: 'Confirmed, D.Haig, 16/8/17'. Michael was shot on 24 August 1917 at Poperinge.

The final five men shot at dawn in

verward... meer in aanmerking komend voor shell shock dan iemand anders.' Nochtans oordeelde een medische commissie dat hij gezond en bekwaam was. Op het proces verklaarde zijn eigen bevelhebber: 'Ik zou durven zeggen dat hij minder dan normaal begaafd is, hij is tamelijk dom.'

Ondanks de aanbeveling van Brigade-generaal Lambert om hem 'naar huis te sturen, waar hij goed kan worden ingezet bij de opleiding, en waar hij niet onder grote spanning zal staan,' werd hij ter dood veroordeeld en terechtgesteld op 10 december 1916. Het epitaaf dat de familie op zijn graf liet zetten suggereert iets van de tragische omstandigheden van zijn dood: 'Verleen hem eeuwige rust, O Here Jezus, Genade.'

Het nieuwe jaar 1917 bracht meer executies dan ooit tevoren. Soldaat James Crampton (B,14) uit York, deserteerde in de sector van Ploegsteert. Hij werd pas drie maanden later in Armentières gearresteerd. Hij werd onderzocht door een medische commissie omdat men vermoedde dat hij 'zijn verstand had verloren.' De commissie was het daarmee niet eens: 'Er is geen bewijs voor dat hij gek zou zijn geweest toen hij zijn misdaad beging.' James Crampton (wiens naam gespeld werd als Grampton op alle dossierstukken) werd op 4 februari 1917 geëxecuteerd. Na Botfield en Poole was hij al het derde lid van de 23ste Divisie dat werd geëxecuteerd sedert hun aankomst in de Salient.

Soldaat John Fryer (D,14), 12de Surrey Regiment, was vóór de oorlog showboxer in London. Hij was gaan lopen tussen Vierstraat en Ouderdom op 19 mei 1917, net nadat zijn bataljon was teruggekeerd naar het front na een maand training in de buurt van St-Omer. Hij vertelde dat hij niet wist hoe of waarom. Een rapport van de bataljonsarts dat opgenomen werd in het dossier, suggereerde dat Fryer mogelijks aan geheugenverlies leed als gevolg van verwondingen opgelopen tijdens zijn bokscarrière. Er werd geen medische commissie bijeengeroepen om dat te onderzoeken. Field-Marshall Douglas Haig was de enige die over zijn lot besliste: 'Confirmed, D. Haig F.M., 11 June 17.'

Hoewel het 12de Surreys en de 41ste Divisie hun rustkampen hadden in Reningelst, had Fryers executie plaats aan het stadhuis van Poperinge, de executieplaats bij uitstek voor de hele sector.

De fatale daad gebeurde op 14 juni 1917 om

Poperinge, and buried in this cemetery, all committed their 'crimes' during the opening stages of the Passchendaele campaign. How costly that campaign was in human lives is also very obvious from the graves in this cemetery. Only two weeks elapsed between the executions of J.S. Michael and the next, Pte. Joseph Stedman, but Stedman's grave is 17 places (i.e. almost 200 plots) from Michael's, at F, 41. Stedman was tried for cowardice at St-Julien on 1 August, and shot on 5 September 1917.

The following day an NCO of 3 Worcesters was shot at the Poperinge town hall. Sergeant John Thomas Wall (F, 42) had been a good soldier for three whole years. So good that he had been promoted through the ranks, from private to sergeant. At Bellewaerde Ridge on 10 August, he had stayed with two privates for a full day in a concrete dugout, rather than join his battalion into the front line, some 700 m. further forward.

Wall claimed that there were artillery barrages, and that the ground between him and the battalion was fully exposed to the enemy. Company Sergeant Major Davies agreed, but claimed that crossing the ground would still have been possible. As a result, Wall was found guilty of desertion and sentenced to death. Again Douglas Haig was the only senior officer to confirm this sentence. So J.T. Wall was executed with one testimony and one signature against him, after a career of three dutiful years on the Western Front.

On 24 August 1917, Pte.George Everill, 1 North Staffordshire (F, 44), was a prisoner in the guard tent at Dikkebus when he was warned that his battalion was to go into divisional support positions. He had been held there for a sentence of 90 days 'crucifixion' for 'wilful defiance of authority'. Everill absented himself as the unit marched forward, and was arrested the next day in Reningelst. There he broke from the guard-

Sergeant John Thomas Wall, 6 September 1917.

4.05u. door luitenant R.A.Breary, een sergeant en een vuurpeloton van tien mannen uit Fryers eigen bataljon.

Toen de volgende, soldaat James Sheriff Michael (H,24) van het 10de Cameronians, werd neergeschoten, was het Flanders Offensive, al gestart en vastgelopen in de modder. De 20-jarige soldaat uit Glasgow was eind april bij Arras gaan lopen. Hij werd op 9 mei gearresteerd, teruggestuurd naar zijn eenheid en voor de krijgsraad gebracht op 1 juni. Waarom de opperbevelhebber er zolang over deed om nog maar eens een 'gemakkelijk oordeel' te vellen is onbekend: 'geconfirmeerd, D.Haig, 16/8/17'. Michael werd op 24 augustus 1917 te Poperinge doodgeschoten.

De laatste vijf mannen die werden geëxecuteerd te Poperinge en op deze begraafplaats werden begraven, begingen hun 'misdaden' in de eerste fase van de Derde Slag bij Ieper. Hoeveel mensenlevens deze campagne kostte valt ook hier af te lezen. Niet meer dan twee weken scheidden de executies van J.S.Michael en van Joseph Stedman, maar Stedmans graf ligt wel al 17 plaatsen (dit is ongeveer 200 doden) verder op F,

by kind permission of the relatives

Sergeant John Thomas Wall, 6 September 1917.

room, only to be arrested again by a patrol along the Reningelst–Abele Road. Everill had enlisted in August 1914, and had experienced no major disciplinary trouble until early July 1917. Haig confirmed the sentence, and the APM 24 Division carried out the execution at 6.06 a.m. on 14 September 1917 at Poperinge.

Daylight broke four minutes later in the courtyard of the Poperinge town hall on 20 September 1917, when young Herbert Morris (F, 45) was executed. Pte. Morris was a black Jamaican private in the British West Indies Regiment. The Jamaicans had arrived in the area in May, and had worked mainly for the artillery, carrying shells to the heavy howitzers.

Father Van Walleghem had observed them doing it, and wrote that the 'ammunition (was) stacked in small piles, like little heaps of manure spread out across the fields.' He also noticed: 'The blacks are extremely frightened of the big guns. They look afraid and bewildered when they hear a shell coming, and if it falls anywhere close they scatter like men possessed.' This was very much the reaction of 17-year-old Herbert Morris. 'I am troubled with my head. I cannot stand the sound of the guns. I reported to the doctor, but he gave me no medicine or anything,' he said. And so Morris ran off, with fatal results.

Pte. Frederick Coutts Gore (J, 34), 20-year-old son of a barge captain from Rochester, was the last man to be shot at dawn and buried here. He explained to the court: 'The reason I deserted my Battalion... (is)... I cannot stand the strain of the shell fire, owing to the very bad state of my nerves.' The officers judging Gore did not think a medical board necessary. His statements about earlier complaints and treatment for shell shock, made no impression either. Gore, serving with 7 Buffs (East Kent Regiment), was found guilty of having deserted from Dickebusch Huts when his unit was warned to leave for the trenches. He was sentenced to death. Douglas Haig alone confirmed the sentence on 10 October, and so seven days later another execution took place in the town hall of Poperinge.

---

41. Soldaat Stedman werd ter dood veroordeeld wegens lafheid bij Sint-Juliaan op 1 augustus. Hij werd terechtgesteld op 5 september 1917.

De volgende dag werd een onderofficier van het 3de bataljon Worcesters geëxecuteerd op de binnenkoer van het stadhuis. Sergeant John Thomas Wall (F, 42) was gedurende drie volle jaren een goed soldaat geweest. Zo goed dat hij promotie had kunnen maken, en was opgeklommen van gewoon soldaat tot de graad van sergeant. Op 10 augustus was hij op de Bellewaerde Ridge met twee andere soldaten in een betonnen schuilplaats blijven zitten, in plaats van het bataljon te vervoegen 700 meter verder in de eerste lijn.

Wall beweerde dat er voortdurend artilleriebarrages waren en dat de strook tussen hem en het bataljon onder het oog van de vijand lag. Company Sergeant Major Davies beaamde dat, maar getuigde dat het toch mogelijk moest zijn geweest om de afstand te overbruggen. Dat was voldoende om Wall schuldig te bevinden en de doodstraf uit te spreken. Opnieuw was Douglas Haig de enige hogere officier die het vonnis bekrachtigde. J.T.Wall werd bijgevolg geëxecuteerd met één getuige en één handtekening tegen zich, na drie plichtsvolle jaren actieve dienst aan het Westelijke Front.

Op 24 augustus 1917 zat soldaat George Everill, 1 North Staffordshire (F,44), gevangen in een tent in Dikebus toen hij te horen kreeg dat het bataljon naar een positie 'in steun van de divisie' moest vertrekken. Hij zat een straf uit van 90 dagen 'kruisiging' wegens 'het vrijwillig negeren van het militaire gezag'. Everill ging er van door terwijl het bataljon opmarcheerde en werd de volgende dag te Reningelst gearresteerd. Daar ontsnapte hij uit de wachtkamer maar werd opnieuw gevat door een wegcontrole langs de weg Reningelst – Abele. Everill had dienst genomen in augustus 1914, en had geen enkele zware aanvaring met de legertucht gehad tot begin juli 1917. Niemand in het bataljon kon een karakterbeschrijving geven en enkel Field-Marshall Haig bekrachtigde de doodstraf. De APM van de 24ste Divisie liet de straf uitvoeren te Poperinge op 14 september 1917 om 6.06u.

De dageraad liet vier minuten langer op zich wachten op de binnenkoer van het stadhuis op 20 september 1917, toen de jonge Herbert Morris (F,

Continue along Deken De Bolaan. Poperinghe Old Military Cemetery is on your left.

Continue along Deken De Bolaan. Poperinghe Old Military Cemetery is on your left.

16 Poperinghe Old Military Cemetery

Grave of Wang Jungzhi

The last execution of the First World War in this area happened after the Armistice. When the war had ended, members of the Chinese Labour Corps were used to help clear the battlefields and hinterland of the debris of war. They were repatriated only in February 1920.

The local population did not like the 'Chinks'; nor did their British commanders. There was a lot of racism. The Chinese were deployed in, or very near, the danger zone, and in general were treated worse than they had expected. After a strenuous war, they wanted to go home. They became bored and ill-disciplined, and indulged in fighting, gambling, stealing and assaults on women.

Ten members of the corps were executed, all of them for murder. In February 1919 Wang Ch'un Ch'ih (modern transcription: Wang Jungzhi) killed a colleague in their camp at De Klijte. He escaped, but was caught by military police in Le Havre. He was tried in Poperinge on 19 April 1919, and executed on 8 May at 4.24 a.m. The execution is said to have taken place in the courtyard of the town hall, but there are some doubts about this as the town hall had already returned to civilian use. The fact that Wang Jungzhi is buried in this cemetery suggests that he was almost certainly shot close to the town centre. His burial party turned a blind eye to the fact that his grave was among those saved for officers who had died here in the spring of 1915.

Continue to end of Deken De Bolaan, turn right onto B.Bertenplein. At the end turn right into Vroonhof. Side entrance to Town Hall

45) werd geëxecuteerd. Morris was een zwarte Jamaïcaanse soldaat uit het British West Indies Regiment. De Jamaïcanen waren hier in mei 1917 aangekomen en werkten vooral voor de artillerie: munitie aanvoeren voor de zware howitsers.

Onderpastoor Van Walleghem had hen bezig gezien: 'het ligt al vol munitie, in kleine hoopkens; juist gelijk stalmest opengevoerd op de velden.' Hij merkte ook op: 'De zwarte zijn schrikkelijk benauwd van 't geschot. Zij staren schuw en verwilderd als zij eene bom hooren afkomen en valt zij niet al te ver zij vluchten als bezetenen.' Zo moet ook de 17-jarige Herbert Morris zich hebben gevoeld. Op zijn proces zei hij: 'Ik heb last van mijn hoofd. Ik kan het lawaai van de kanonnen niet verdragen. Ik meldde dit aan de dokter, maar die gaf me geen medicijnen noch iets anders.' En dus ging Morris lopen, met fatale gevolgen.

Soldaat Frederick Coutts Gore (J, 34), de 20 jaar oude zoon van een zeeman uit Rochester, was de laatste soldaat die hier werd geëxecuteerd en begraven. Hij verklaarde voor het hof: 'De reden waarom ik deserteerde uit het bataljon is dat ik de stress van de beschietingen niet aankan, ik heb vreselijk veel last van zenuwen.' De officieren vonden een medische commissie overbodig. Zijn verklaringen over vroegere klachten en een behandeling voor shell shock maakten ook al geen indruk. Gore, een soldaat van het 7de Buffs (East Kent Regiment), werd schuldig bevonden aan desertie vanuit Dickebusch Huts, terwijl zijn bataljon het bevel had gekregen om naar het front te gaan. Hij werd ter dood veroordeeld, Douglas Haig tekende op 10 oktober als enige de confirmatie van de straf. Zeven dagen later werd de straf voltrokken in het stadhuis van Poperinge.

Verder langs Deken De Bolaan tot aan het Poperinghe Old Military Cemetery.

Verder langs Deken De Bolaan tot aan het Poperinghe Old Military Cemetery.

16 Poperinghe Old Military Cemetery

Graf van de de Chinese arbeider Wang Jungzhi

De laatste executie van de Eerste Wereldoorlog in

courtyard and death cells in G.Gezellestraat.

Continue to end of Deken De Bolaan, turn right onto B.Bertenplein. At the end turn right into Vroonhof. Side entrance to Town Hall courtyard and death cells in G.Gezellestraat.

17 END: Poperinge Town Hall courtyard, execution post and death cells

Eight men are known to have been executed here – Botfield, Simmonds, Poole, Fryer, Stedman, Wall, Morris, and Gore. Furthermore, Crampton and Wang Jungzhi most probably were. It is also possible that the others buried at Poperinghe New Military

A GOOD REPUTATION
ENDURES FOR EVER.
CHINESE LABOUR CORPS.
DIED MAY 8th 1919.

T Capoen

Headstone of Chinese labourer Wang Jungzhi, the last man to be executed in Poperinge.

deze streek, viel lang na Wapenstilstand. Na het einde van de oorlog werd het Chinese Labour Corps ingezet om de slagvelden en het hinterland schoon te maken. Ze werden pas gerepatrieerd in februari 1920.

De plaatselijke bevolking hield niet zo van deze 'Tsjings', evenmin als hun Britse bevelhebbers. Er was veel racisme. De Chinezen werden dicht bij het front en in het gevaar ingezet, en werden slecht behandeld. Na een zware campagne tijdens de oorlog wilden ze graag terug naar huis. Ze waren verveeld, weinig gedisciplineerd, er waren veel vechtpartijen, er werd gegokt, gestolen en verkracht. De tien leden van het Chinese Labour Corps die werden geëxecuteerd, werden alle veroordeeld wegens moord. In februari 1919 doodde Wang Ch'un Ch'ih (moderne transcriptie: Wang Jungzhi) een collega in het CLC-kamp in De Klijte. Hij kon ontsnappen maar werd later gevat door de militaire politie in Le Havre. Hij werd berecht in Poperinge op 19 april 1919 en geëxecuteerd op 8 mei om 4.24 u. 's morgens. Er wordt aangenomen dat ook deze terechtstelling plaatshad op de binnenkoer van het stadhuis, maar sommigen hebben daar twijfels over omdat het stadhuis inmiddels alweer haar burgerlijke rol had teruggekregen. Hoe dan ook, vermits Wang Jungzhi hier is begraven, is hij zeker ook in het stadscentrum terechtgesteld. Wie hem begroef lette er niet op hoe een coolie terechtkwam temidden van een erevak voor officieren die gevallen waren in de lente van 1915.

Grafsteen van de Chinese arbeider Wang Jungzhi, de laatste geëxecuteerde te Poperinge.

Deken De Bolaan tot het einde, rechts (B.Bertenplein), tot het einde, rechts naar stadhuis via Vroonhof. De binnenkoer en dodencellen kunnen worden bereikt via de poort in de G.Gezellestraat.

Deken De Bolaan tot het einde, rechts (B.Bertenplein), tot het einde, rechts naar stadhuis via Vroonhof. De binnenkoer en dodencellen kunnen worden bereikt via de poort in de G.Gezellestraat.

Cemetery, plus those at Nine Elms (McFarlane, Nisbet) faced the firing squad in this spot.

Several men were arrested here, and locked up in the cells to await escort back to their units, where they were tried and convicted. They were Byers, Eveleigh, Nelson, Roberts, J. Smith, Hyde, Welsh and Hughes.

Thousands of others (of all nationalities) spent just a couple of (drunken) nights here.

It is easy to see how this town hall became such a notorious execution spot. It had become a military guardroom very early in the war, while the Salient was still part of the French sector. In the basement were four cells (two of which survive to this day) where men awaiting trial, and those convicted, could be detained securely. In 1916 these prison cells also became death cells, where convicts spent their final agonising night. The housekeeper Mrs. Louise Gerber would tell people in the street about the terrible scenes that happened inside. The courtyard was well hidden from the street, so that the shootings could be carried out without unwanted spectators.

If they were aware of these facilities, most APMs of divisions in the area would make arrangements with the Town Major to relay the sentence to the convicted man on the night before the execution, then lock him up here,

(below) First World War graffitti on the walls of the death cells (left). (right) Poperinge Town Hall, the last execution post.

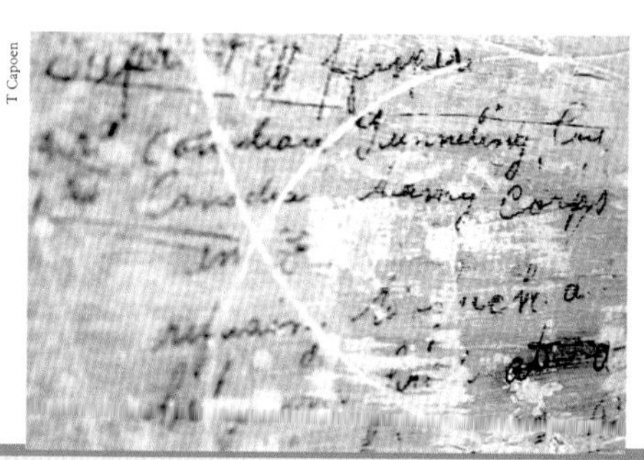

T Capoen

T Capoen

(boven) Graffitti uit de Eerste Wereldoorlog op de muren van de dodencellen (links). (rechts) Het Stadhuis van Poperinge, de laatste executiepaal.

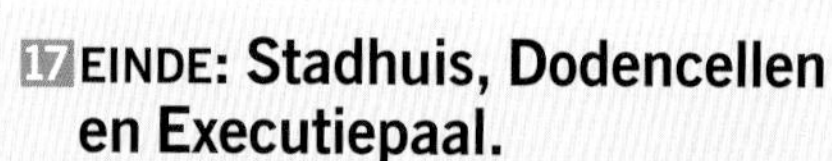

17 EINDE: Stadhuis, Dodencellen en Executiepaal.

Tenminste acht mannen werden op deze binnenkoer geëxecuteerd: zekerheid hebben we voor de executies van Botfield, Simmonds, Poole, Fryer, Stedman, Wall, Morris en Gore. Allicht mogen we daar Crampton en Wang Jungzhi aan toevoegen. Ook is het mogelijk dat nog een aantal anderen die begraven werden in Poperinghe New Military Cemetery en misschien ook McFarlane, begraven op Nine Elms British Cemetery, hier voor het vuurpeloton verschenen.

Een aantal soldaten werden hier ook gearresteerd en opgesloten in de politiecellen tot ze teruggebracht

to be shot the following morning.

The executions were carried out against the rear wall of a half-open coal shed at the back of the yard. The wall was covered with sandbags to prevent ricochets. A post, to which condemned men would be tied as they awaited the hail of bullets, has survived. In fact, it was probably used on only one occasion, said to be the execution of the Chinese labourer Wang Jungzhi. In 1997 it was placed back in the courtyard in respectful commemoration of all those shot at dawn in the Great War.

This is the final stop on the tour. However, on the way back to Ieper, there are a few more sites of interest. At Brandhoek (marked No. 18 on the map) you can see the graves of Ainley and Dossett (buried in Hagle Dump Cemetery), who were both executed after the Spring Offensive in 1918. Near the centre of the same hamlet, in August 1915 Lewis Phillips was executed. In the two main cemeteries in Vlamertinghe (19) you will also

T Capoen

werden naar hun eenheid om te verschijnen voor een krijgsraad. Het zijn: Byers, Eveleigh, Nelson, Roberts, J. Smith, Hyde, Welsh en Hughes. Duizenden anderen (van verschillende nationaliteiten) verbleven hier kort, omdat ze zonder toelating op straat waren, dronken, of betrokken in allerhande vechtpartijtjes.

Het valt makkelijk te begrijpen waarom dit stadhuis zo'n notoir oord van executie werd. Heel vroeg in de oorlog, al toen de Fransen de Salient bezetten, was het een wachtkamer van de militairen. Het was centraal gelegen en in de kelder bevonden zich vier, nagenoeg nieuwe politiecellen (waarvan er twee tot vandaag intact bleven). Men kon er militairen laten wachten op hun uitlevering of proces, of veroordeelden op hun straf. Vanaf 1916 werden de politiecellen ook dodencellen waar ter dood veroordeelden hun laatste nacht doorbrachten. De binnenkoer was volledig afgesloten van de openbare weg, en voorkwam dat er ongewenste toeschouwers de executies konden zien. De huisbewaarder Mevr.

find the graves of three soldiers who were shot. In Vlamertinghe Military Cemetery Pte. Rickman and Driver Lamb are buried. Pte. Delargey is buried in Vlamertinghe New Military Cemetery. The Railway Château (20), between Vlamertinghe and Ieper beside the N308, was the scene of a double execution in February 1916, of Privates Eveleigh and Gawler.

These stories, as well as the full account of all the cases mentioned earlier in the tour, are described in the full-length book *Unquiet Graves* by Piet Chielens and Julian Putkowski (published in English by Francis Boutle Publishers and in Dutch by Globe). It has a full list of all the soldiers who were executed in the Westhoek of Flanders in the First World War.

To return to Ieper take the main road, the N38. (11.5km).

The most direct route back to Ieper is the N308 (11.5 km).

If you prefer to return along smaller and nicer roads use this route (14 km): Facing the town hall, turn right into Ieperstraat, then second right into Professor Dewulfstraat. At the end, go straight across the Ring Road, R33, into Ouderdomseweg. Take the first left into Sint-Jansstraat, first right into Visserijmolenstraat, then left into the street also named Visserijmolenstraat. Turn left at the end into Lindegoedstraat, then immediately right into Karnemelkstraat. Left at end into Casselsestraat, right into Lissewallestraat, then left onto Bellestraat for the Vlamertinghe New Military Cemetery. (To visit Vlamertinghe Military Cemetery cross N38, turn left at end onto N308 into Vlamertinge centre, pass the church and take first right into Hospitaalstraat. After visit return to N308 and turn left towards Ieper.) From Vlamertinghe New Military Cemetery continue along Bellestraat, right into Krommenelststraat, then left and immediately right into Hazewindstraat. At end, turn right onto Poperingseweg (N308), and first left into

Louise Gerber vertelde niettemin aan voorbijgangers welke vreselijke taferelen zich binnen de muren afspeelden.

Wanneer Assistants Provost Marshall op de hoogte waren van deze faciliteiten, gebruikten zij deze meestal. Ze spraken af met de Town Major om er de straf aan de veroordeelde bekend te maken de avond voor de terechtstelling, om hem dan op te sluiten in een van de cellen tot de volgende dageraad.

De executies werden uitgevoerd tegen de muur van een halfopen kolensliet achteraan de binnenplaats. De muur was bekleed met zandzakjes tegen terugkaatsende kogels. Eén executiepaal, waaraan de veroordeelden meestal werden vastgemaakt, hetzij staand, hetzij zittend op een stoel, is bewaard gebleven. Waarschijnlijk werd deze paal alleen gebruikt voor de laatste executie, die van de Chinese arbeider Wang Jungzhi. In 1997 werd deze paal teruggeplaatst op de binnenkoer ter herinnering aan alle geëxecuteerden van de Grote Oorlog.

Dit is de laatste halte op deze route. Op de terugweg naar Ieper kom je echter nog voorbij verschillende andere rusteloze graven en executieplaatsen. In Brandhoek (18 op het kaartje) liggen Ainly en Dossett begraven (Hagle Dump Cemetery) die beiden na het lenteoffensief van 1918 werden geëxecuteerd. In hetzelfde gehucht had in augustus 1915 al de terechtstelling van Lewis Phillips plaats. Op de begraafplaatsen van Vlamertinge (19) werden ook geëxecuteerden begraven: Op Vlamertinge Military Cemetery de soldaten Rickman en Lamb; op Vlamertinghe New Military Cemetery Delargey. Het Seminariekasteel (Railway Château) (20) was het toneel voor een dubbele executie in februari 1916, van soldaten Eveleigh en Gawler.

Het volledige verhaal van deze en alle andere hiervoor genoemde gevallen worden beschreven in het boek *Rusteloze Graven* van dezelfde auteurs (een Nederlandse versie is verschenen bij Globe, een Engelse bij Francis Boutle Publishers). In het boek is ook een lijst opgenomen van alle militairen die in de Westhoek van Vlaanderen werden aangehouden, geëxecuteerd, begraven of herdacht, en van wie we vandaag de naam kennen.

Adriaansensweg (you can see the 'Railway Château', where Eveleigh and Gawler were shot, on your left). Follow right into Augustijnenstraat, before end turn right on footpath to railway crossing, left to roundabout, straight across to next roundabout and straight over into Elverdingestraat into Ieper town centre.

Alternatively, there is a train every hour to Ieper (journey time eight minutes) from the railway station in Ieperstraat. Passengers are allowed to take bicycles on the train in a specially designated carriage. Ask the station master.

The Railway Château at the end of the War. Location of the execution of Ptes. Eveleigh and Gawler.

Neem de expressweg naar Ieper (N38) (11.5 km).

De meest rechtstreeks weg terug naar Ieper is de N308 (11.5 km).

Wie mooiere en minder drukke wegen verkiest volgt de routebeschrijving hierna (14 km). Kijkend naar het stadhuis, rechts de Ieperstraat in, tweede rechts (Professor Dewulfstraat), tot einde, de Ringweg over (Ouderdomseweg), eerste links (Sint-Jansstraat), eerste rechts (Visserijmolenstraat), links (opnieuw Visserijmolenstraat), aan het einde links (Lindegoedstraat) en onmiddellijk rechts (Karnemelkstraat), aan het einde links (Casselsestraat), kruispunt rechtdoor (tenzij u links naar Brandhoek wil), rechts (Lissewallestraat), links (Bellestraat) meteen rechts de ingang naar Vlamertinghe New Military Cemetery; [voor Vlamertinghe Military Cemetery. N38 oversteken, tot het einde links (N308) tot centrum van Vlamertinge, rechts (Hospitaalstraat) tot Vlamertinghe Military Cemetery Na bezoek terugkeren langs N308 naar Ieper.] Bellestraat, eerste rechts (Krommenelststraat), links en onmiddellijk rechts (Hazewindstraat), tot einde en rechts (Poperingseweg – N308), eerste links (Adriaansensweg) (links zien we Seminariekasteel – 'Railway Château'), rechts (Augustijnenstraat), net voor het einde volg voet- en fietspad rechts tot aan spoorwegovergang, links aan beide rotondes rechtdoor de Elverdingestraat in naar het centrum.

Het alternatief is de trein. Er is elk uur een trein vanuit het station in de Ieperstraat (reistijd 8 minuten). Riezigers kunnen hun fiets mee op de trein nemen, vraag informatie bij de stationschef.

Het Seminariekasteeltje aan het einde van de oorlog. Dit was de plaats van executie voor soldaten Eveleigh en Gawler.

The authors

Piet Chielens was born and lives in Reningelst. He is co-ordinator of the In Flanders Fields Museum in Ieper and artistic director of Peaceconcerts Passendale. He is the author (in Dutch) of *The Poproute, cycling behind the front*, and co-author, with his brother Wim Chielens of *The Comfort of Beauty, the Literary Salient*.

Julian Putkowski is a researcher and university lecturer. He is the author, with Julian Sykes, of *Shot at Dawn*, the standard reference work about soldiers executed under the British Army Act in the First World War and *British Army Mutineers 1914–1922*.

Every effort has been made to seek permission for the use of material in this book. If any permission has been inadvertently overlooked, the publishers offer their sincere apologies.

First published by Francis Boutle Publishers
23 Arlington Way
London EC1R 1UY UK
Tel/Fax (020) 7278 4497
Email: unquietgraves@francisboutle.demon.co.uk

ISBN 1 903427 00 2

Printed in Spain

Piet Chielens werd geboren en woont in Reningelst. Hij is coordinator van het In Flanders Fields Museum in Ieper en artistiek directeur van Vredesconcerten Passendale. Hij schreef *De Poproute, fietsen achter het front*, en met zijn broer Wim Chielens, *De Troost van Schoonheid, de literaire Salient*.

Julian Putkowski is een historisch onderzoeker en universiteitsdocent in Londen. Hij schreef met Julian Sykes, *Shot at Dawn*, het standaardwerk over executies in het Britse leger. Hij is ook de auteur van *British Army Mutineers 1914–1922*.

De uitgever stelde alles in het werk om toelating te krijgen voor het gebruik van extern bronnen- en fotomateriaal. Indien iemands rechten daarbij over het hoofd werden gezien, gebeurde dit onvrijwillig, en biedt de uitgever hiervoor zijn verontschuldigingen aan.

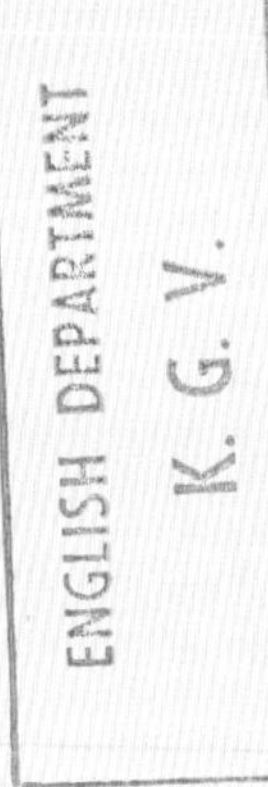